書評の新聞「週刊読書人」連載
大学生が作る書評コラム

書評キャンパス 2020

大学生と「週刊読書人」編集部

書評キャンパス at 読書人2020　CONTENTS

第1部　書評キャンパス 再掲

書評キャンパス

書評キャンパス at 読書人 2020　CONTENTS

※所属大学と学年は、「週刊読書人」掲載時のものです。

「書評キャンパス」２０２０書籍化にあたって

「週刊読書人」での「書評キャンパス」の連載は、二〇一七年のスタートから、五年目を迎えています。その成果物として、前年に掲載した全ての学生書評を単行本にまとめるのも、これで四冊目。

二〇二一年、（株）読書人では、新たな取組みをはじめました。それが、大学生対象の読書講座、「読書人カレッジ」（日本財団共催）です。作家や研究者、ジャーナリスト、批評家等、大学側が求める講師の方々にお願いし、大学生と本を読むことをともに楽しみ、思考する機会になるような講座を、と動きはじめています。「週刊読書人」あるいは、この「書評キャンパス」と両輪で、読書を推進していきたいと思います。

著者と出版社、大学や図書館、書店、そして学生をはじめとする読者が、本を媒介にますます交流していけるように、私たち「週刊読書人」は、その輪を広げていけたら、と考えています。

「書評キャンパス」のこれからの歩みも、見届けていただければ、うれしいです。

二〇二一年十一月吉日

「週刊読書人」編集部

第1部

書評キャンパス

「週刊読書人」
2020 年 4 月 ― 2021 年 3 月
に掲載された記事を再掲

書評した本

『結婚と家族のこれから 共働き社会の限界』

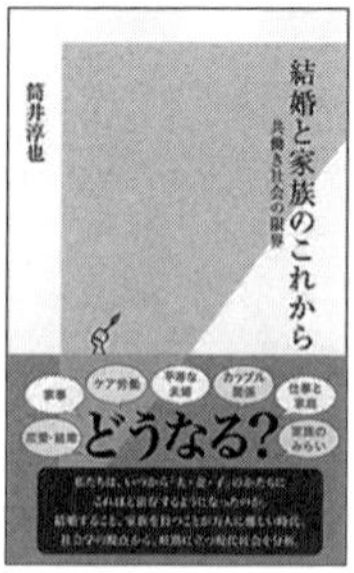

筒井 淳也著

新書判・260 頁・814 円
光文社
978-4-334-03927-1

書評した人

長谷川 萌《はせがわ もえ》

専修大学法学部
法律学科２年

男女差別や児童虐待など社会問題に興味を持ち、法律を始め広い視野で捉え考えるため、専修大学社会科学研究会に所属し、法学の基礎固めにも励んでいる。

私がこの本を読んだのは、大学入試に必要だったからだ。私が受けたのは普通の筆記試験ではなくＡＯ入試というもので、この本の内容についての三つの設問に答えるものだった。それらの設問に対する答えを作るために一ヶ月かけて何度も読んだし、興味のある分野でもあったので、今でも内容は頭に残っているつもりだった。しかし、改めて読み直し、当時注目していなかった部分にも著者が言いたかったことが書いてあったことに気がついた。

著者は、結婚や家族について書かれている本でも、「人々が最初から持っている、家族についての多少偏った見方を補強するようなもの」が多く、「バランスのとれた、広い視野から理解しようという本はそれほど目立」たないとして、この本は広い視野から理解を深められる本になることを目指して執筆したと述べている。

私は、日本では古くから家父長制がとられていたと思っていた。しかし著者は、日本の古代社会には自由な恋愛が存在していたと述べた上で、古代の自由な恋愛から子供が誰と結婚するかまで家長が決める家父長制への変遷、そしてその解体に至るまでの経緯を論理的に説明しようと試みている。

また、家事や育児などの担い手の問題も様々な視点から提起している。無償労働を担う時間量に男女差があることは感覚としてわかってはいたものの、データを見ることで、いかに日本が突出して女性に無償労働の負担が偏っているかがわかった。さらに、現代の日本ではあまり見かけないために考えが及ばなかった、国際的な経済格差を利用して、家事使用人を雇って対処しているために起こる諸問題に関しても、放置してはならないと気付かされた。しかし、これらのケア労働の担い手の問題の、解決が難しい理由についても考察されており、本当に一筋縄ではいかないものだと感じざるを得なかった。

そして、一番大きな発見があったのは以下の部分だ。著者は、共働き社会がさらなる経済格差をもたらしていると説明し、その原因を「アソータティブ・メイティング」、簡単に言えば、所得の高い男女同士から順に結婚していくことになるという概念を用いて解き明かしている。所得の高い人と低い人が結婚する社会になればこの問題は解決されるが、現実にするのは難しいということが理由とともに述べられている。結婚相手の選択はプライベートの問題であり、本来、公的介入は許されるべきではない。しかし、現実的には政府が解決策を講じるほかないため、高所得者は低所得者と結婚しろ、などと命令するのではなく、「アソータティブ・メイティングしても『儲からない』」制度を作るべきだと説かれている。これはほとんどの人が聞いたことのないであろう話であり、課税単位を個人ではなく世帯にする制度の話など、難解な部分もあるが、具体例を添えて想像や理解がしやすいような工夫がされている。

この本はですます調で書かれていて具体例やデータも交えて説明されているため、読みやすい。そして、現代社会に生きる我々にとって重大でありつつすぐには解決しない、考え続けなければならない問題がたくさん提起されているため、一人でも多くの方に一読していただきたい。

著者より

この本を書くときに心がけたのが「視野を広く」ということでした。重要点を書評で拾い上げていただいたので、著者としてほっとしています。特に「共働きと格差」は一番難しい論点ですが、ほんとうに見事にまとめていただきました。この問題は、これからますます深刻な問題になっていくはずです。何かを解決すると別の問題につながります。複雑な社会についての想像力を磨くために、ぜひ本書を手にとっていただければと思います。

（筒井 淳也）

書評した本　書評した人

『霊応ゲーム』

パトリック・レドモンド著

文庫判・640頁・1540円
早川書房
978-4-15-041343-9

波多野 早紀
はたの さき

東京大学文学部３年

昔からの憧れだった「本屋のお姉さん」になるべく書店でアルバイトを始め、今年で三年目を迎える。趣味は読書と洋裁、好きな作家は京極夏彦と長野まゆみ。

あなたは「きみのことはぼくが守ってやる」という台詞に、ぞっとしたことがあるだろうか。

イギリス・ノーフォークにあるパブリックスクール、カークストン・アベイ校。本書は、かつてこの閉鎖的な空間で起こった、ある「悲劇」についての物語である。

主人公のジョナサンは、アベイ校にはめずらしく公立校の出身である。彼は歴史が好きでおとなしく、これといって目立ったところがないので、クラスのいじめっ子や苦手科目の教師に絡まれがちな少年である。一方で、ジョナサンのクラスには皆が一目置く孤高の少年がいた。彼の名はリチャード。一見なんの共通点もない二人だが、ラテン語の授業でジョナサンがリチャードに窮地を救われたことをきっかけに、少しずつ距離を縮めるようになる。

学校で唯一、孤高の少年の友人となったジョナサンだが、そのことがもとでクラスのいじめっ子たちから妬まれ、いじめを受けるようになる。そんな中、リチャードはジョナサンを中間休暇の帰省に同行するよう誘う。帰省中、二人は亡くなったリチャードの大伯母の衣装箱の中にあるものを発見する。あるもの――一枚の霊応盤《ウィジャ》――と、それを用いた二人の他愛もない「霊応ゲーム」。これが少年たちの運命を急変させた。

中間休暇が明けてしばらくすると、不可解にも、ジョナサンへのいじめに加担した生徒が様々な理由で学校を去っていった。ラグビー中の事故による入院、急な転校など、偶然が重なっているはずなのに、着実にジョナサンに仇をなす人物が校内から姿を消してゆく。怖気付くジョナサンとは対照的に、リチャードは「ゲーム」の力をちらつかせ、万事心得たような様子である。だが次第に、リチャードがジョナサンに向ける感情が極端な方向へ変容し始めた。ジョナサンをいじめっ子から守ってやろうという友情は大げさな庇護心になり、常軌を逸した執着心が醸成されてゆく。一方のジョナサンは多少の違和感があっても、心酔する彼のもとから離れない。段々と嫌な予感がつのる。

案の定リチャードの行動はより過激になり、いじめっ子のみならず、ジョナサンとの関係に介入する全ての人物に敵意を向け始めた。彼らは当事者しか知り得ない後ろ暗い過去について、「そのことを知っている」とほのめかす何者かのメモや電話で追い詰められ、正気を失ってゆく。少年たちの愛憎と狂気、後ろ暗い過去に翻弄される教師たち、そして、ウィジャ盤の「ゲーム」……不穏な事象は着々と結びつき、悲劇のラストシーンへと展開する。

本作の魅力は「理解を超えた何かが起こっている」という不気味な気配以上に、ぞっとするような人間の狂気の描写にある。たとえば物語終盤に、「ゲーム」の効力に怯え、リチャードのことをも恐れはじめたジョナサンに対し、リチャードが「きみに手出しするやつはだれだって、このぼくが殺してやるからな」と笑って言い放つシーンがある。何をしでかすか分からない、生きた人間独特の恐ろしさが絶妙である。

ひとたび本作を読みはじめれば、こうした多方面の恐怖に圧倒され、一気にラストまで読んでしまうことは間違いない。まさに憑りつかれたような読書体験がしたい方にお勧めの一冊である。（広瀬順弘訳）

編集者より

波多野様、本書をお読みいただきありがとうございました。人間の狂気の描かれ方が本書の魅力であるという評は、まさにその通りだと思います。『霊応ゲーム』で描かれる登場人物は全員驚くほどのリアリティがあります。こうしたリアリティがあるからこそ、私たちはその隙間から覗く狂気に恐ろしさを覚え、惹きつけられてしまうのでしょう。憑りつかれたように夢中にさせる魔力も、そこにあるのかもしれません。

（早川書房　書籍編集部　井戸本幹也）

週刊読書人 2020年4月17日号掲載

書評した本　　　　書評した人

「天冥の標」シリーズ

小川 一水著

文庫判・各 726 ~ 968 円
早川書房

重城 守
じゅうじょう まもる

東京大学教養学部2年

ワンダーフォーゲル部と天文部に所属。本と調べ物が趣味で、最近は図書館の調査業務に興味が湧いてきています。

本シリーズは、スペース・オペラ、性愛の理想的形態の模索、ネットワークの中で生まれる知性、宇宙時代の農業、子供たちだけの共同体、ポストアポカリプスなど多岐に渡る内容を、全十七冊というスケールで描く。しかし特筆すべきは「SFの満漢全席」とも称される華々しさの陰で、底流のように重苦しく感染症が起こす差別と分断を描き続けていることだろう。

この書評を執筆している二〇二〇年初旬、新型コロナウイルスの感染が世界に拡大しつつある。外出自粛、損害補償、マスクの配給などが話題に上る中、最も深刻な問題はちっぽけなウイルスが起こす大きな分断だ。陽性患者を受け入れている病院の職員の子供が、託児所で受け入れを拒否される。発熱した状態で日本に帰国しようすれば、ネット上で激しいバッシングに遭う。「感染拡大防止」という正義の旗印のもと、ともすれば差別ともとられるような過激な行いが正当化されていく。

こうした差別が恒常化したらどうなるか。本作はそのような思考実験の成果とも言えるのだ。本作に登場する致命的感染症「冥王斑」の最大の特徴は、「回復しても感染力を保つ」という点である。つまり患者は運よく生き延びたとしても、永遠に保菌者として人々から忌避される運命を背負う。さらに垂直感染もするため、子々孫々に至るまで患者はこの病から逃れられない。根本治療薬の開発が行き詰まる中、回復患者たちは「永遠の保菌者」という共通のアイデンティティをもった民族のような集団を形成する。ますます深まっていく感染者と非感染者との間の分断は、解消できるのか。

第二巻「救世群」はそうした問いに無慈悲にも「Ｎｏ」を突き付ける。舞台は現代、冥王斑発生当初の混乱を描くこの巻の最終盤、パンデミックは何とか収束する。しかし、そのために人類が選んだのは患者たちを劣悪な環境の収容施設に押しこめ、徹底的に差別するという手段だった。そして皮肉にも、その措置を講じた張本人の口から次のような言葉がもれる。

「なぜ人間は、恨むべきでないものを恨むんでしょう。今回のことはすべて、冥王斑ウイルスという、目で見ることもできない、ちっぽけな存在が原因です。いや、ウイルスすらも、恨む相手ではない。それが出てきたのは、自然の進化の成したことなんですから」

「救世群」以降、人類が宇宙へと進出して太陽系内に広がり、さらに〝拡散時代〟の掛け声のもと系外惑星への植民地建設を目指して繁栄を謳歌する陰で、五〇〇年の長きにわたって差別と分断に苦しめられる二〇万人の患者たち。本作では、負の側面を抱えた未来の人類史が、清濁併せのんだ多様なテーマを盛り込みつつ紡がれていく。

最後に、忘れてはならない要素がもう一つ。羊である。羊は本シリーズの隠された主題と言っても過言ではない。従来の小説では「従順」「犠牲」の象徴として描かれることが多い羊たちが、本シリーズでは型破りな活躍をする。重苦しくなりがちなストーリーの中で、時にコミックリリーフとして、時にキーパーソン（？）として躍動する小川一水氏の描く羊たちを、存分に楽しんでもらいたい。

書評した本　　書評した人

『桐島、部活やめるってよ』

朝井 リョウ著

文庫判・256 頁・528 円
集英社
978-4-08-746817-5

光野 康平
みつの こうへい

金沢大学人間社会学域
法学類３年

検察官を目指して勉強中。休日は午前中に映画館、午後は本屋さんを歩きまわってます。二〇一九年度ベスト映画は白石和彌監督の「凪待ち」。

「負の感情からの解放」

これを感じるために筆者は、朝井リョウの本を何度も手にする。大学在学中に小説家デビュー。その四年後の二〇一三年『何者』で平成生まれ初の直木賞を受賞した。彼の作品の登場人物の多くは、負の感情を抱えている。就活をテーマにした『何者』では、他者を批判することで優越感を持つ大学生。平成をテーマにした『死にがいを求めて生きているの』では、環境に嘆き何も成し遂げようとしない会社員。彼らが抱く負の感情は哀れでありながらもどこか共感してしまう。そして中でも筆者が一番登場人物たちに自分を重ねた作品がデビュー作『桐島、部活やめるってよ』だ。

　本書はバレー部のエース桐島が部活に出てこなくなったことをきっかけに、自分の抱えている問題と向き合うことになった、五人の高校生たちを描いた青春小説である。この作品では高校という閉鎖された世界で生まれてしまう「格差」が鮮明に描かれている。

「高校生って不平等だ。たぶん人間的に梨沙より魅力的な人なんて、クラスにたくさんいる。だけど外見が魅力的じゃないから、みんな梨沙に負けるんだ」

「高校って生徒がランク付けされる。なぜか、それは全員の意見が一致する。英語とか国語ではわけわかんない答えを連発するヤツでもランク付けだけは間違わない。大きく分けると目立つ人と目立たない人。運動部と文化部」

大人と子どもの境界期にいる高校生、彼らは固有の地位や肩書がない。だからこそ、学校という小さな世界の中、外見や明るさといった安易で残酷な尺度で、「格差」を形成してしまう。それがスクールカーストだ。その世界の息苦しさを筆者は知っている。だから、スクールカーストの中で生きづらさを感じている登場人物と、あの頃の自分が、何度も重なってしまう。

読むのが苦しくなるほど抱いてしまう共感。そして、終盤で用意されている解放。このような読書体験ができるのは、著者が人間の本質を捉えているからだ。

「お肉をたべている時点で完璧でいられない」。これは著者があるラジオ番組で語った言葉である。生命の尊さを語りながらも、抵抗なく生命を食するのが大方の人間だ。そして著者は作品を通して矛盾した感情を抱えた人間を受け入れる。完璧ではない、汚くて醜い登場人物に光を与える。

目立たない自分に劣等感を抱き好きな人に近づけない少女が、恋の痛みを芸術に昇華しようとする姿。外見がいいだけで目立っていることに虚無感を抱いていた少年が、自身の内面と向き合う姿。学校という不条理な世界でそれぞれの葛藤を抱きながら、五人の高校生は不格好ながらも必死に生き抜く。そして一人一人が世界の抑圧、自己の抑圧から解放されて成長する姿には彼らの葛藤に読者が共感して、苦しめば苦しむほど、勇気をもらうことができる。

読み終わったあと、あの頃の自分を抱きしめたくなる、そんな一冊だ。

編集者より

著者の発言や他の著書にも触れつつ、朝井作品に共通する「人間の本質」をとらえ、丁寧に読み解いてくださって、ありがとうございます。引用部分、デビュー作ならではのストレートさとまぶしさを覚えるとともに、これは社会全体にも当てはまる指摘なのかもしれない、と改めて感じました。作品への深い愛情が伝わる素敵な書評でした。

（集英社文庫編集部　信田奈津）

書評した本　　　　書評した人

『青い眼がほしい』

トニ・モリスン著

文庫判・328頁・946円
早川書房
978-4-15-120006-9

藤岡 未有生
ふじおか みゆき

上智大学文学部
英文学科2年

文学、ファッション、音楽などに関心があります。最近読んだ本はイプセンの『人形の家』です。

幼い頃、「自分が嫌いだ」とノートに書きなぐったことがあった。もし、あの頃の自分に何か言えるなら、私は『青い眼がほしい』のことを話したいと思う。

本作は人種差別の現状を大胆かつ繊細に切り取った作品として認識されている。だが、私は読み進めるうちに不思議な感覚に陥った。黒人であるが故に傷つけられ、また自分自身を否定する人々の痛みが手に取るようにわかり、差別に立ち向かう黒人の少女に親しみを抱いたのだ。というのも、差別を扱うこの作品が、誰もがもつ感情を描く「私の物語」でもあるからだと思う。

この物語では、複数の黒人の登場人物たちの視点で、彼らの日常や生い立ちが語られる。読者は語り部たちの正直な告白を通して、人種差別の実態を知ることになる。例えば少女ピコーラが青い眼を手に入れたいと切望する姿や、勇敢な少女クローディアが黒人である自己を否定する人々に抵抗する姿を私たちは目の当たりにする。そして物語は、実父チョリーに強姦され、流産したピコーラが「青い眼を手に入れた」と夢想する場面で幕を閉じる。

このようなあらすじを聞くと、一見私たちとはかけ離れた人々の話に思えてしまう。しかし、チョリーの行動や、ピコーラの青い眼への執着、クローディアの反抗の根底には私達にも共通する感情があるのだと思う。

まず、私にはチョリーの強姦がまるで自傷行為のように思われる。黒人であることの恥ずかしさに支配された彼は自らの分身、娘を傷つけることで彼女を愛し、彼自身が生きている感覚を得ている。このようなチョリーや、ピコーラの中の社会に影響された価値観は、かたちは違いこそすれ、誰もがもっているものではないかと思う。黒人差別が当然の世界で育った彼らは、そのような価値観が自分の中に刷り込まれていることを知らない。当たり前を疑うことなく生きるしかない彼らと同様に、私たちも社会が生み出した価値観に沿うことを、生きる術としているのだ。

一方対照的なのがクローディアである。彼女は、黒人は白人に劣ると考え、白人に憧れる周りの黒人の人々に対し、白人のドールを壊し、「クリスマスには何が欲しいか、きいてくれる人がだれもいなかったことは、はっきりわかっていた」と悲しみ、流産したピコーラのために祈ったりする。一人の人間として愛されたいと切望し、人を愛することで、他者とつながろうとしているのだ。このような感情もまた、誰もが体験したことがあるだろう。誰かのために、という優しい気持ちや、愛されたいという願いはどんな人でも抱く普遍的な感情だと思う。

最後に、『青い眼がほしい』が黒人差別の物語でありながら、「私の物語」でもある理由を考えたい。それは、この物語に描かれている劣等感や愛情が、人が他者と共に生きることと切り離せないからだ。クローディアが他者を気遣い、愛情を求めたように、つながりがあるからこそ得られるものがある一方で、ピコーラとチョリーが抱えた自己嫌悪は、人の間でしか生まれようがない。他者の評価に振り回され、人と比較すれば劣等感に苛まれ、多数派の価値観から抜けだせない。つまり、本作は、人と人の間で生きる、あるいはそこでしか生きることのできない苦しみや優しさを描いている。ピコーラ、チョリー、クローディアは私たちでもあるのだ。

私たちはこれからも他者に振り回され、苦しみ続けるだろう。それでもつながろうとするのは、そこに救いがあると思わずにはいられないからではないだろうか。

あの「自分が嫌いだ」という走り書きには続きがある。母が書き加えた「ママはあなたが大好きだよ」という言葉だ。いつか私もそんなふうに誰かを思いやることができるだろうか。（大社淑子訳）

書評した本

『Think clearly　最新の学術研究から導いた、よりよい人生を送るための思考法』

ロルフ・ドベリ著

四六判・478頁・1980円
サンマーク出版
978-4-7631-3724-1

書評した人

栗原 咲紀《くりはら さき》
共立女子大学
文芸学部２年

「合格サプリ」ライターや「ハナジョブ」学生記者などに挑戦中。

もしも「人生をより良く生きる一つの法則がある」と言われたら、あなたは信じるだろうか。恐らく、私を含め多くの人は信じないだろう。一つの法則で乗り切れるほど、私たちが生きている世界はシンプルでも画一的でもない。論理や答えがはっきりしている問題や選択はほとんどなく、それでも答えを迫られる機会は必ずやってくる。だが、もしも「多くの困難を上手く対処するための思考法がいくつかある」としたらどうだろうか。

例えば本を上手く書く方法、人付き合いがうまくなれる方法、就活で失敗しない方法などだ。誰しも、それらに準ずる行動の軸となるジンクスや考えはあるだろう。不思議なことに、私たちは皆「幸せに生きること」を願っているのに思考法は人それぞれだ。そしてその内のいくつが明確な根拠に基づいているかと言われたら、はっきり答えられる人は少ないのではないだろうか。

本書は、所謂自己啓発書だ。タイトルからわかるように著者は海外生まれで、人生の成功者だが、その経歴は巻末のプロフィールにしか書かれていない。だが、進路や就職や人間関係に悩まされている多感な女子大生として、筆者は断言したい。この本があれば、あなたはもう本屋で自己啓発書を探さなくて済む。あなたの財布から自己啓発書に投資されるお金も、この一九八〇円で最後になるだろう。

私が本書の中で一番気に入っているのは、二ページ目の前置きで著者が「よい人生を説明できる究極の定義など存在しない」と言い切っていることだ。その上で、彼は本書に登場する五十二の思考法を「思考の道具箱」と呼んでいる。思考法なだけあって、本書を読んでいきなり幸せになることはない。しかし、私たちが重大な決断をするときや困難に立ち向かうとき、この思考法を使えば迷うことなく「より良い選択」に向けて行動できる。つまり我々は今まで通り自身の幸福を追求し、必要なときだけ「思考の道具箱」から適切な思考を取り出し使うだけでいいのだ。

自己啓発書では自分の成功（司法試験合格・TOEIC満点など）や体験談を繰り返し語る著者が多いが、本書の著者は他者の行動や説を語る。他者とは、著者の友人から、天才アインシュタイン、アメリカ人の著述家、経済学者ロバート・オーウェン、哲学者カント、偉大な思想家ビル・ゲイツなどだ。

具体的に一つ二つ紹介すると、チャーリー・マンガーの説から導き出された「解決よりも予防をしよう」、ローマの哲学者が推奨していた「不要な心配ごとを避けよう」などの思考法が道具箱には並ぶ。

彼の功績は、私たちが今まで言語化できなかった経験や直感を見事に表現し、使える思考法に仕上げたことだ。それらは体系的なもので、何度も顔を出す思考法もあるのだが、その整理や接続も当然のようになされている。複数のデータからなる統計から導き出された思考法、それだけでもどれだけ論理的で信頼できるかがわかるはずだ。もしあなたが明日選択を迫られても、本書があれば後悔しない決断のお手伝いが出来るだろう。最後に、ここまで読んでくれたあなたに送りたい著者の言葉がある。

「あなたも私も、何かを考えるときには、しっかりとした思考の道具や枠組みを持っていなければ前には進めない。たとえ、どんなに時代が変化しても、どれほど人間が進化しても」

（安原実津訳）

書評した本

『しんくわ』

しんくわ著

四六判・144頁・1870円
書肆侃侃房
978-4-86385-243-3

書評した人

杉田 佳凜
すぎた かりん

広島大学大学院
総合科学研究科
博士課程前期

大学生協発行の読書情報誌『読書のいずみ』の編集委員を務めています。短歌が好きです。

『しんくわ』という本がある。面白くて、楽しくて、大好きな一冊で、あらゆる人に読んでほしいと心から思うのだけど、どんな本か聞かれると少し困ってしまう。

『しんくわ』は新鋭短歌シリーズの一冊だ。ただ俳句や散文も混ざっていて、歌集とは紹介しづらい。目次に並ぶタイトルのいくつが短歌とも言えない。短歌と俳句が、短歌と散文が混ざっているものも少なくないからだ。内容もいろいろで、卓球部のへなちょこな青春が描かれたと思えばペンギンがぽてぽて並び、お正月にバイクですっ転んで十字靭帯を切った話があって、プロレスラーとカードゲームが顔を出す。登山もエクストリーム出社もある。

『しんくわ』が説明しづらいのは、定義できないからだ。歌集とか小説とか、相聞歌とか職業詠とか、ギャグとかシリアスとか、使い勝手のよい枠組みからするりと抜けだしていく。そしてまた〝短歌ならこうだろう〟という思い込みからも。

五分後に君は来て大袈裟な陣を作ってきて始めよう天体観測って、ここは戦場ですよ。孔明殿

この歌はBUMP OF CHICKEN《天体観測》の本歌取りというか替え歌になっている。定型にはぜんぜん収まっていないけれど、《天体観測》を知っていると、不思議と〝短歌っぽく〟読める。

五分後に／君は来て／大袈裟な陣を作ってきて／始め

よう天体観測って、／ここは戦場ですよ。孔明殿
短歌っぽいと思うのは、リズムに乗って読むことができて、それが五七五七七ではなくても五つの区切りでできているからだ。《天体観測》と短歌定型を意識するからこその早口は、〈孔明殿〉の行動に慌てる様子と重なって楽しい。
『しんくわ』に出会う前から短歌が好きで、短歌が堅苦しいばかりでないことは知っていた。けれどJ－POPで中国史でこんなに破調なのにリズミカルなんて歌は初めてで、嬉しくなった。やるじゃん短歌、と思った。『しんくわ』は定義や思い込みや予想をマイペースに超えていく。それが楽しくて仕方ないのだ。

やがて雪　原田宗典に降り積もる雪　あなたがどーなっても溶けない雪はない

〈どーなっても〉という言い方に面食らう。どうなっても、じゃないのか。でも〈どーなっても〉のほうが、本当に何があっても溶けそうだと思う。就活に失敗しても、イエティと仲良くなっても、どーなっても。雪解けが喜ばしいとは限らないのかもしれないけれど、〈どーなっても〉の絶対さは底抜けに明るくて、どこか安心してしまう。

好きなひとの瞳の中に僕がいてなんて素敵な二人の焼き肉食べ放題

観覧車にでも乗っているのかと思えば焼き肉食べ放題なんて。でも卓袱台返しのような意地の悪いオチだとは感じない。僕と、僕を瞳に映すあなたと、二人を取り巻く焼肉の熱と匂いと飛び散る油と、ぜんぶひっくるめて〈なんて素敵な二人の焼き肉食べ放題〉で、それは観覧車では見えなかった素敵さだ。
『しんくわ』の赤い帯には「笑ったらいいと思う。」とあって、目に入るたび（だよね）と思う。『しんくわ』のマイペースさにつられて、みんな笑ったらいい。そうして毎日が楽しくなって、ついでに短歌や俳句を好きになったらいい。
『しんくわ』で笑った一人として、心からそう思うのです。（加藤治郎監修）

著者より

先日、僕が高校生の時に大好きだった作家がTwitterで炎上していました。ため息とともに、三十年前に読んで心を震わせていた当時を思い出してなんだか甘酸っぱい切ない気持ちになりました。今思えばそれは恋に近いものだったのかも。彼女の小説に『銀河郵便は〝愛〟を運ぶ』というのがあります。素敵なタイトルです。宇宙と愛。壮大なシステム。その小説を読んで郵便局に勤めてしまった男を知ってます。僕なんですけどね。

（しんくわ）

書評した本

『朝が来る』

辻村 深月著

文庫判・368頁・770円
文藝春秋
978-4-16-799133-3

書評した人

小林 寛尚
こばやし ひろなお

大東文化大学
社会学部２年生

趣味はビリヤードと読書。今年の目標は日商簿記３級と宅地建物取引士資格を取得すること。

夫婦と子ども一人の幸せな家庭の日常に一本の電話が鳴った。「――もし、もし」と今にも途切れるような頼りない若い女の声を聞いた佐都子は思う、幽霊のような声だと。女は「カタクラ」と名乗った後、佐都子に告げた。「子どもを、返してほしいんです」。この一文に筆者は意表をつかれた。少し前では佐都子・清和夫婦とその子ども、朝斗の穏やかな日々のエピソードが描かれていた。どこにでもいそうな家族の日常の物語のはずではなかったか。しかし朝斗はこの夫婦の血を分けた子どもではないらしい。

これは特別養子縁組を介して繋がった人々の物語だ。中学生の片倉ひかりは恋人の巧との間に子どもができてしまう。そこで特別養子縁組を利用し、不妊治療がうまくいかない佐都子・清和夫婦に子どもをあずける。周囲と打ち解けられず次第に孤立していくひかりの姿、子どもとの生活を楽しむ夫婦の様子、全く別の二つの人生が奇妙な縁で再び繋がっていくのだが……。

私は辻村作品を読む時、必ずもやもやした不可解な落ち着かない気分にさせられる。それは例えば『傲慢と善良』におけるヒロインの行方、『かがみの孤城』における鏡の向こうにある鏡の城。そして今回取り上げた『朝が来る』の「カタクラ」と名乗った女の正体だ。女は「子どもを返してください」と言った後、交換条件として子どもに代わるもう一つの要求をあげた。「お金を、用意してください。そうすれば、私、諦めます。——私のこと、バレたらいろいろ、困るんじゃないですか。用意してもらえないなら、私、話します。あなたの周りに」。この言葉を聞き、朝斗の育ての母は言う「あなたは一体、誰ですか」。ここであえて物語の種明かしをすれば、「カタクラ」と名乗る女は、朝斗の産みの親である片倉ひかり本人だった。ではなぜひかりがこのような脅迫めいたことをするに至ったのか。

読み進めていくと、出産間近のひかりが自身のお腹にいる朝斗に語り掛ける場面がある。「もうすぐだよ。頑張ろう」とお腹に手を置き、声をかけて道を歩いていたひかりは、太陽が輝きを放つ空を見上げて、立ちすくむ。「きれいだねぇ、ちびたん」。気づくと声が出ている。彼女にとってお腹の中にいる子どもは、特別養子縁組を利用して引き渡すものの、自由を拘束する邪魔な存在ではない。愛しい存在なのだ。出産後、朝斗の引き取りを終えたひかりと栗原夫妻は二度と出会うはずはなかった。脅迫という奇妙な縁で繋がるまでは。

ひかりはとてもまっすぐで純粋な女性だと私は思う。一途なほど純粋な彼女だからこそ困難な問題を抱えてしまう。読んでいるとひかりに対して呆れたり、つらくて読むに堪えない部分もある。それでも彼女から目が離せなかったのは、彼女の魅力が危ういまでのけなげな生き方にあるからだと思う。一人一人がそれぞれに真剣で切実な願いや思惑を持っている。それだからこそねじれる人間関係。私はその人間的な葛藤のドラマに目を離せなかった。

編集者より

この小説のジャンルをひと言で言うのは難しい。特別養子縁組という、この本の刊行時にはまだあまり知られていなかった制度を前に葛藤する夫婦を描く家族小説、あるいは、「子どもを返してほしい」と電話をしてきた女性の正体が明らかになっていくサスペンス——。いずれにしろ、何気ない日常を真剣に生きる人々の姿がラストで静かな感動を生んでいる。

余談だが、文庫解説を執筆された河瀬直美監督は後にこの作品を映画化。本と映画を是非、見比べてみることもお勧めしたい。

（文藝春秋　第二文藝部　武田昇）

書評した本　　　　書評した人

『そして五人がいなくなる 名探偵夢水清志郎事件ノート』

はやみね かおる著

文庫判・306頁・586円
講談社
978-4-06-275433-0

森 月美《もり つきみ》

早稲田大学
人間科学部４年

芸術・表象文化論ゼミ所属。創作サークルＧＩＦＴ、演劇集団ところでに所属。この世の全ては絵から始まるのではないかと考え、描くことに興味を持っている。

隣の洋館に住む教授を訪ねる。教授の生活はとても不規則で、就寝時間や食事時間などは全く決まっていない。ねむりたいときに寝て、思い出したら食事をとる。わたしが、いや、わたしたちが目を光らせない限り、そういう生活をしている。

ギンゴーン！

チャイムを鳴らしても返事がない。わたしたちは勝手に上り込むことにした――。

右記の内容は、私が本書で登場人物の一人である亜衣の視点を通し体験したものだ。これともう一つ、私は本書を読み体験したことがある。読者と本、はっきりとした線引きをした上で本の内容全体を俯瞰的に吟味することだ。本書では、この両方の体験が可能である。我々は読者としての視線を損なうことなく、登場人物の一人として物語に入り込む。

さあ、部屋のソファーで横にゴロンと丸まっている男こそ、教授こと名探偵の夢水清志郎である。元は大学の論理学教授だったようなので、教授と呼んでいる。なぜだか今日は、針金のように細い体が心なしかぐにゃぐにゃしており、具合が悪そうだ。

「わかった！　ここ何日かご飯を食べ忘れてたからだ！」

呆れて言葉も出ない。この男は意地汚いにも関わらず、自分が食事したかどうかすら忘れてしまうのだ。それだけでなく、自分の年齢やこれまでに解決した事件も思い出せないものわすれの名人だ。せめて仕事を、毎日絶え間なく起きている事件の数々を解決してはくれないだろうか。

「たしかに事件は起こってるよ。バカな警察にまかせておけばいいような、芸術性のかけらもない、低俗な犯罪はね。ぼくが求めてる犯罪はね、芸術とロマンの香りがする、知的な犯罪なんだ」

そう言って教授は毎日を自堕落に過ごす。本当に彼は名探偵なのか？　到底信じられないかもしれないが、答えはイエスだ。本人が心の底から自分は名探偵だと信じている。そして彼だけではなく、わたしたちも、夢水清志郎は名探偵だと信じている。

きっかけは教授の謎解きを聞いた時だった。亜衣は謎解きを聞いて納得した。私はハッと思い出しページを遡る。そこには、教授が謎を解く手がかりにした情景の記述があった。私は謎解きに納得すると同時に、「確かにあのあたりに書いてあった」と、自分が一読者であることを思い出したのだった。これが本の内容全体を俯瞰的に吟味すると冒頭で述べたことだ。情景を想起させるための要素だった文章が途端に謎を解くための手がかりとして異色を放つ。謎を解く決定打をズバリ引き当てることの体験は、さながら国語の問題を解いているような感覚である。所謂国語の勉強が苦手な人へ、読解力を鍛える最初の本としても薦められる。

「ぼくは名探偵です。犯人をつかまえるだけの警察とはちがいます。きっと、みんながいちばん幸せになれるように、事件を解決しますよ」

この「みんな」という言葉には登場人物だけでなく、本の向こうにいる私たち読者をも内包しているのではないだろうか。

今度の事件では、五人の子どもを人々の前から消してしまった怪人「伯爵」に挑戦する。警察では消えたトリックも解明できず、予告された犯行にも手出しできないほどの強敵だが、不思議と不安はない。きっと今回も教授は鮮やかに事件を解決するだろう。「探偵が謎解きをする場合、つぎのことばではじめなければならない」と教授が信じている名探偵の鉄則に従い、事件の謎を紐解くに違いない。

「さて――」

編集者より

「読者としての視線を損なうことなく、登場人物の一人として物語に入り込む」と森さんがご指摘して下さった通り、本書は読むことの楽しさを十二分に味わわせてくれるジュブナイル・ミステリの金字塔です。子どもの頃にはやみね作品を読んで本好きになり、今では作家や編集者、書店員、図書館司書など本に携わる仕事に就いている人が、とっても多いんですよ。

（講談社青い鳥文庫　山室秀之）

書評した本　　書評した人

『国宝　上・下』

吉田 修一著

四六判・各 360 頁・各 1650 円
朝日新聞出版
上 978-4-02-251565-0
下 978-4-02-251566-7

谷本 桜
たにもと さくら

上智大学文学部
新聞学科４年

書店でアルバイトをしているのでどうしたら魅力的なポップが描けるか模索中。映画を観ることが好きで映像と音楽の関係について興味があります。

日本語の美しさをこんなにも味わい尽くし酔いしれることのできる文学作品を私は初めて体験した。

「指を動かせば鈴の音が鳴り、髪を乱せば嵐が怒るほど神がかり……」

読みながら私は日本語に酔い、目の前に華やかな歌舞伎の舞台を見ていた。これは歌舞伎の舞台という、並の人間では立つことのできない場所に、生涯を賭ける人々の物語である。

二〇一七年一月一日から二〇一八年五月二十九日まで朝日新聞に連載されていた今作は、一九九七年にデビューした著者の作家生活二〇周年の記念作品だ。この物語は気品にあふれ、重厚で、上下巻どちらも長編だがどんどん読み進められる。それは、歌舞伎に詳しくなくとも演目の丁寧な描写があるから、さらにこの作品の語り口調が、主人公である立花喜久雄と花井俊介、二人の男の人生を聞いているような感覚をもたらすからだ。

長崎の極道一家に生まれ、激しい暮らしの中で女形に頭角を現していく喜久雄と、歌舞伎の名門一座の息子として英才教育を受け続け、その運命を定められた同じく女形の俊介。喜久雄は正義感が強く、やんちゃで猪突猛進な男。俊介は繊細で負けん気が強く、熱いものを抱えた男。

上下巻に亘って、二人の五〇年以上の人生が描かれている。彼らは、日本中の舞台に立ち、その世界に時に興奮し、絶望し、喝采を浴び、叩かれ、年を重ねていく。喜久雄も俊介も幼馴染や恋人、両親や師匠などあらゆる人を、またメディアや舞台を通して世間をも巻き込んで生きていく。

舞台役者である二人は何があっても舞台に立ち続ける。いついかなる時でもその幕開けを待ってはもらえず、逃げ出すことも許されない。自分の代わりはいない。来る日も来る日も、鏡台に向かって白粉を塗り、絢爛豪華な衣装に袖を通し、三味線と浄瑠璃の音を聞きながら舞台へ出ていく。遊びたくても、休みたくても。しかし二人とも、舞台を愛している。

「まさに雲の上を歩くが如く、何か無理にでもそこに言葉を当てはめるならば、幸福とでも言うのでありましょうか」

と、舞台に立つ恍惚とした気持ちを表している。そこからは一体どんな景色が見えるのだろうか。

一方、劇中で舞台裏は「まるで男と女の、有音と無音の、現と幻の、そして生者と死者のあわいのような場所」と描かれている。「照明も届かぬこの場所は、ぼんやりとした闇の中、女形の役者たちからはまだ男の臭いが、逆に白粉を塗った立役はなぜか女っぽく見え、行き交う大道具や黒衣たちの足袋や雪駄の音が、まるで雪道のように檜の板に吸い込まれてまいります」。こういった表現の一つ一つで読者は映像だけでなく匂いや肌触りまでもが感じられる世界へ誘われていく。そして、たった今まで暗闇で付き人とくだらない話をしていた役者は、舞台の幕が開くその瞬間に、たちまち恋の恨みで悲哀の中、しなやかに舞う女形へ変貌する。著者は今作の取材で、実際に黒衣を作ってもらい楽屋から、舞台裏から、歌舞伎の世界を見たのだというから、その現と幻のあわいの雰囲気や、舞台の神聖さの描写に説得力がある。

私は舞台上に漂う幽玄なその雰囲気をここまで表現されたものを初めて読んだ。体感した。舞台袖の薄暗さや、埃っぽい匂いまで感じられた。私は読みながら息を潜めるようにして、逆光の中を舞台へ向かう役者の背中を見つめていた。

白鷺を演じる喜久雄の姿が目の前に見えるような気さえして、読者も一気に吸い込まれてゆく。

歌舞伎という伝統の中で、その頂点を強くひたすらに見つめ、追いかけ、求める二人の男たち。人生、いろいろ。何を選び、何を捨て、何を目指して生きていくのか。覚悟を持って生きる人々の姿に、背筋が伸び、身が引き締まる。この作品は美しい日本語と語り口調で紡がれる激しい人生の物語だ。ぜひその人生を並走してみてほしい。

書評した本

『深読みミュージカル　新装版
歌う家族、愛する身体』

本橋 哲也著

Ｂ６判・304頁・2420円
青土社
978-4-7917-7115-8

書評した人

鈴木《すずき》 隼《しゅん》

日本大学法学部
法律学科４年生

15年間、野球一筋。野球の合間に何とかして劇団四季ミュージカル観劇の予定をいれ、観に行くのが人生の大切な時間。

本の内容が自分の背景と絡まり強烈な共感を生むと、本を閉じてからの思考法や世界観ががらりと変わることがある。観劇が趣味の私に、その経験をさせてくれたのがこの本だ。五感を通じて観劇を充分に堪能しているつもりだったが、もしかしたら、観劇とはもっと知的な充実感を受け取ることが出来るものなのではないか、と。この本は、ミュージカルの心への響き方を変え、観劇を、上演時間だけで完結しない日常生活への応用性の高い知的アートへ押し上げる。そして、やがて読者の中の、日常における「対象を見る目」をも養うことになると思う。

私がミュージカルから受け取っていた要素は、「音楽の高揚感」「物語からの教訓」「精神的な充実」の三つであった。しかし、この本が切り取っているものは、それらを劇場の外から分析することで導き得た、ミュージカル作品の「本質」である。劇場外で得られる歴史・文化的な背景知識を使ったり、思考を重ねたりすることで見えてくる、作品の世界を紹介している。

それにも係わらず、私が考えるこの本の最重要ポイントは、「ミュージカル上級者しか楽しめない書籍ではない」点である。本書には十作品のミュージカルが取り上げられている。『サウンド・オブ・ミュージック』『ライオン・キング』『メアリー・ポピンズ』『マイ・フェア・レディ』『ウエスト・サイド・ストーリー』『キス・ミー・ケイト』『ラ・マンチャの男』『ジーザス・クライスト＝

スーパースター』『オペラ座の怪人』『レ・ミゼラブル』である。有名な作品ばかりなため、ほとんどの人が何か一作は知っているものに出合えるだろう。その章から、本書が意図している「思考法」を捉えることが出来る。知らない作品は、映画を見たり劇場に足を運んだりしながら、時間をかけて楽しむこともできる。また、作品を一つも知らないとしても、本書を読めば逆にミュージカルに興味を持つのではないだろうか。

例えば、「多文化共生」、「女性の役割」。現代のニュースでもよく目にするこの二語から、果たしてどんなミュージカルを想起できるだろうか。本書によればこの二語は、実は『ライオン・キング』に含まれる重要な要素なのである。「心配ないさ〜」でおなじみの「ハクナ・マタータ」という楽曲はそのメロディから楽しい歌と思われがちだが、実は主人公シンバは「家族」という閉鎖的な社会単位における権力の悩みの最中にあり、歌っている他の動物は移民のような感覚で彼を包み込んでいる。こんな具合に様々な事実と知識を絡め、「多文化共生の感覚」といった、要素、構造、抽象論を生み出すという思考法が、この一冊を貫いている。また、「女性の役割」については、『ハムレット』という別の作品から、そのストーリーをヒントにし、「ハムレットのサバンナ化」という新しい枠組みで家父長制度に切り込んでいる。そこから、「女性の役割」についても考えるきっかけを与えているのである。それを理解できたとき、私は世界が大きく広がった。

そして本書を通し、ミュージカル以外でも自分にかかわる出来事を「現象×知識＝日常に応用できるヒント」という具合に考えることが出来るようになった。本書から得た、独特の思考法だと思う。もちろん、ミュージカルへの親しみ、姿勢をさらに深いものにすることも出来た。ミュージカルなどのアート作品に触れて感覚を豊かにしたい、新しいタイプの読書や思考法体験を得たいという方には、ぜひ本書を手に取ってもらいたい。

著者より

批評の喜びは、思ってもみなかった視点や発想に出会って、他者と「対話」できることにある。対話は「会話」とは違って、異文化と共生する困難を伴い、時間と労力もかかるけれど、新しい「学び＝真似び」の道を開いてくれる。

『ライオン・キング』における「女性の役割」…なるほど。家父長制度は女性が支えている、のか。思考が広がり、対話の円環が始まる。

こういう読者が居てくださるからこそ、批評は楽しくて、やめられない。また自分が好きな作品について批評を書こう！　そんな勇気をもらいました。ありがとう！　（本橋 哲也）

書評した本

『歌は分断を越えて　在日コリアン二世のソプラノ歌手・金桂仙』

坪井 兵輔著

四六判・248頁・2090円
新泉社
978-4-7877-1906-5

書評した人

遠藤 隆恭
えんどう たかゆき

阪南大学4年

現在関心を持っていることは、シミュラークルとシミュレーション。

「歴史の痛みに苦しむ人に歌で寄り添いたい」

その思いを胸に、金《キム》桂仙《ケソン》（70）さんは歌う。歴史上、時に歌は国家に利用され、分断を煽る道具としても使われた。国境や時代を超えて人々を繋げる歌の力が、扱い方によっては、自国の正当性を誇示し、他国に優越するとの主張に変わることがある。他者の存在を否定する戦争にも国歌が使われた。そのとき歌は、人々を裂く刃と化した。歌は一体、何のためにあるのか。

現在、多くの在日コリアンが日本で暮らしている。そのルーツは朝鮮半島にあり、例えば朝鮮戦争で同じ民族が分断され、故郷を奪われた人々が日本に渡った。

本書は国籍の狭間で葛藤する在日女性が祖国統一への願いを歌に込める歩みを追った。

在日コリアン二世の金桂仙さんは、プロのソプラノ歌手である。幼いころに歌に魅了され、半生を歌うことに捧げてきた。高校卒業後に、朝鮮民族の歌曲を受け継ぐ歌舞団に入団。金さんは「歌に国境はない、日本に憎しみの矛先を向けることもない。歌には力がある。統一への願いを込めるだけ」と歌手活動に没頭した。一九七一年、金さんの歌が評価され、大きなチャンスが訪れた。東ドイツの首都・東ベルリンで開催される文化大会に代表として選抜されたのだ。しかし在日朝鮮人の渡航には高い壁がそびえていた。日本に生まれ、日本以外で暮らしたことがなくとも外国人として扱われる。当時、国籍を外国に持つ人の渡航には厳しい規制が設けられていた。結局、大会への参加は断念に追い込まれた。次に平壌訪問団に選ばれたときも、またも夢は叶わなかった。その後、幾度となく国籍という壁に夢を阻まれた。

私は読み始める当初、在日コリアンのことを殆ど知らなかった。存在に気づいていたが、実際に彼、彼女らの声に耳を傾けたことがなかった。どのような生き方、如何なる歴史を持つのか、そして、何を願い求めるのか。揺れ動く日本と朝鮮半島の関係に翻弄され、生まれ育った第二の故郷である日本で向けられる、冷たい視線やヘイトスピーチ。

自分ではどうしようもない出自を理由に押し付けられる謂われなき差別、癒えることのない傷。本書は分断という現実をリアルに見せる。そんな中、残酷な現実に屈することなく、力強く生きる金さんの生き様から歴史に苦しんだ人を癒やしたいという切実な思いを感じた。

一九八七年に韓国は民主化し、その二年後にはベルリンの壁が崩壊した。冷戦も終わり世界が変わりだす一方で、朝鮮半島は分断したままだった。北朝鮮は核兵器開発に乗り出し、多くの人民が餓死するニュースが日本でも伝えられた。国境を越えた難民もいる。深い分断が続いていた。「歌で統一を両親に届けたい」。桂仙さんの押し込めていた思いが蘇った。一度断念した歌。それを再び始める決心をした。

あるコンサート、金さんの歌う瞬間が訪れた。「こんにちは、大阪生まれのMADE IN JAPAN。金桂仙です。歌で、〝故郷〟を届けたいと願っています」。彼女はステージに上がる時、毎回この挨拶をする。歌とは、その場を分かち合うためにある。そう信念を込めて。歌に国境はない。国籍や民族、生まれ持った歴史も関係ない。歌は国境を越え、人種の壁を越えて一つになる力を持っている。人々を繋ぐ大きな架け橋となるのかもしれない。

グローバル化する社会とは裏腹に、日本では外国にルーツを持つ人々に対する排外的な言論が跋扈し、分断を作っていく。在日の人々の声に耳を澄まし、その想いを知ろうとする営みこそが、分断を無くすささやかな、だが、ゆるぎない一歩になるのではなかろうか。

著者より

知らないことで、知ろうとしないことで他者を否定し、傷つけることがあります。本は出会ったことのない人、行ったことのない場所、経験したことのない歴史を知る窓口です。筆者として、韓国と北朝鮮の、朝鮮半島と日本の、日本と在日コリアンの、そして在日コリアンにおける南北の分断を超克する手がかりを歌に求めた本書を繙き、対話してくださったこと、そして書評を綴ってもらえたことに深甚なる感謝と満腔の喜びを感じます。

（坪井 兵輔）

書評した本　書評した人

『舞　台』

西 加奈子著

文庫判・224頁・605円
講談社
978-4-06-293582-1

生天目 咲樹《なまため さき》

上智大学
文学部2年

演劇やお笑いを観るのが好き。自分でも会話劇を作っています。

ひとりでカフェに入るも周りの視線が気になり、一刻も早く店を出ようとアイスコーヒーを一気飲みしてお腹を痛めた昨日の私、バンザイ。急げば間に合うのに、必死で走っている姿を他人に見られるのが嫌で、乗るべき電車を見送ってしまった私、バンザイ。本書は、自意識過剰な、それゆえに愛おしい現代人のための〝わたし賛歌〟である。

　主人公の葉太は二十九歳。裕福な家に生まれ、容姿にも恵まれ、学生時代にはいわば上位カーストに位置していた、圧倒的勝ち組。と、思いきや、人知れぬ悩みに日々苛まれていた。〝らしさ〟への恥。そしてそれゆえに、人生をまるごしで生きられない自分に対する嫌悪である。

　葉太が六歳のときに死んだ祖父の葬式では、泣いている自分の孫〝らしい〟振舞いに自己陶酔。しかし父親のサングラス越しの冷たい視線に、強烈な羞恥と罪悪感と、のちに父への憎しみをおぼえる。

　物語の舞台であるニューヨークでは、アメリカンブレックファストの店に入って高いのに不味い、とイラつく。先ほどまで「これこそアメリカだ！」と、自身の選択に悦にいっていたが、それがまさに観光客〝らしい〟はしゃぎっぷりだと気づき、恥ずかしさで思わず声をあげそうになる。セントラルパークでは人懐っこいレトリバーに押し倒されて、やれやれと善良な市民〝らしい〟態度。その直後、突然バッグをひったくられるも油断していた自分を認めるのが恥ずかしく、ニヤニヤ笑うばかりで、追うこともできない。パスポートも財布も失い、あるのはポケットの十数ドルのみ。結局、初めての旅行先で極貧の生活を迫られることになる。

調子に乗ったら不幸な目に遭う。反省して慎重に過ごすがそれも束の間、突然のハッピーに舞い上がってまた災難。葉太の人生はその繰り返しで、ニューヨーク滞在中もそれを象徴するかのような出来事が立て続けに起きる。読者のわたしはそんな彼をバカバカしいと笑う。しかし、ここで本当に笑っているのは、主人公によく似た自身の姿なのだ。その笑いは、物語が進んで葉太の苦しみを知るにつれ、乾ききった嘲笑から、心の奥底から染みだす同情の微笑みに変わっていく。

そして物語の中盤以降、ほとんど全てを失った葉太は死の恐怖に喘ぎながら、つまらない恥の意識に囚われてきた自分の人生に対する激しい嫌悪の情に苦しむ。死ぬことが「怖い！」と思わず叫んで走り出した彼を見るのは、現実に街の中を歩いている観光客だけではない。死者の亡霊が、輝かしい生の中を真剣に生きられない彼に非難の目を向けている。その中に、父の姿もある。あるべき姿を演じ続けて死んでいった父の声は、「その苦しみは、お前だけのものなんだ」と葉太に語りかける。走り続ける葉太は肉体も精神もボロボロになりながら、ひとつの真実に辿り着く。人がなにかを演じるとき、そこには他人への思いやりがある。そこに、誰にも理解されない苦しみがあろうと、自分のものとして引き受けなければいけない。それこそが、父の亡霊が語る言葉の意味であり、彼の生前の人生のありかただったのだ。

それに気づいた葉太は、「俺の」苦しみを背負っていく覚悟を決める。そのとき初めて、あんなにも不味かったアメリカンブレックファストが、涙が出るほど美味く感じられたのだ。

激しい崩壊の中から、再び新しい自己を生み出していく葉太の姿は泥臭いが、どこか眩しい一瞬の生の炎を見せる。そして自己嫌悪に悩みながらも、変化を恐れて踏みとどまってしまうわたし自身を励ましてくれる。また、人は誰しも誰かのために、自分を演じて生きているという物語のメッセージは、自意識過剰なわたしを肯定すると共に、全力で生きている他者の持つ苦しみを想像させる契機となる。つまり、わたし賛歌があなた賛歌に、そしてみんな賛歌に変わっていく。そう、この物語はまさに現代の人間賛歌なのである。

編集者より

他人からどう見られているのか、という悩みは大人になっても尽きないもの。他人の視線に囚われてしまう人を、自分を「作って」しまう人を肯定したい——。生天目さんの書評を拝読し、西さんが本作に込めた思いをしっかり受け取って下さったことを実感するとともに、「励まされた」とおっしゃっていただけてとても嬉しく思いました。自意識に悩むことは特別なことでも、悪いことでもない。この人間賛歌がより多くの人に届きますように。

（講談社　担当編集者）

書評した本

『語りきれないこと 危機と傷みの哲学』

鷲田 清一著

新書判・192 頁・796 円
KADOKAWA
978-4-04-110109-4

書評した人

渡邉 心
わたなべ しん

日本大学
法学部３年

鍵盤楽器やリコーダーを地元の介護施設などで演奏している。サイエンス団体のメンバーでもある。

東日本大震災から八年が経った。当時私は小学五年生だったが、記憶は徐々に薄れつつある。この本は、東日本大震災が発生して間もない頃に書かれたものだ。当時を振り返る意味も込めて、本書を手に取った。

本書は、東日本大震災における社会問題に着想を得て書かれた。しかしここで扱われているのは、震災直後だけでなく、わたしたちの日常生活が以前と形を変えているという、いままさにわたしたちが直面している問題そのものだ。

一章は、震災後の「言葉」や「語り」について、たとえば、被災者の記憶の語り直しを例に挙げ、それを手助けするための傾聴についてなど、著者の考えが縦横に書かれている。

二章「命の世話」では、中でも私が心にとめた部分を紹介する。

かつての地域社会は、職住が近接し、営業労働が中心にあった。子どもたちは大人が働くのを見ており、大人もまた子どもたちの行動を見守ることのできる場所であった。地域社会を構成するご近所はみな顔見知りで、誰かが体調を崩したり、何か悩んでいたりすれば、すぐに周りが気付いた。生活環境としては、道路は舗装されておらず、住民は、川に流れ込む水のろ過方法などの知識も持っていた。自然の中で、地域一体となって生活を送っていたのだ。

しかし現在では、地域内での交流が薄れている。工業が発達して川の水は汚くなり、水のろ過は専門業者に任せることが当たり前になった。また生きる上で省くことのできない営み、食と排泄、保育と教育、治療と介助と看取りなども、かつては家族や地域の相互ケアで行ってきたが、近代は、そうした「命の世話」をプロフェッショナルに任せる仕組みとなっている。この変化は、戦後の都市計画でベッドタウンができたことが関係している。人間によって操られた環境の中で、社会性のない私的な生活に閉じていったのだ。

このように変化した社会の中で、東日本大震災は発生した。そして私たちは、変化の負の側面を目の当たりにすることとなった。人びとは川の水のろ過方法も知らず、水を得るためにはライフラインの復旧を待つことしかできなかった。東北地方にはまだ地域のつながりが残っていたが、これが隣の家の人の顔も知らないような都市部であったら、互いに心の内を話すこともできず、より精神的に辛かったであろう。

社会の変化によって、わたしたちに求められる対話のかたちも変わった。三章では「言葉の世話」というタイトルで、このように変化した社会の中で求められる対話のかたちについて書かれている。顔見知り同士では、細かい説明が水臭いと考えられるような、お互いを知っていること前提で交される対話だった。しかし現在は、お互いに出身も職業も知らない中で、相手に深く踏み込まないまま、ともに直面していることについて対話していくことが求められるようになった。

日本人どうしだけではない。グローバル化が叫ばれるいま、日本では東京オリンピックや大阪万博の誘致、さらには入管法改正によって、これまでよりもっと多くの外国人が日本を訪れる。インターネット技術が進み、5Gの提供開始によって、世界中の通信がより加速する。そんななか、まさにいまわたしたちに求められているのが、差異を認めて、見知らぬままでも対話ができる能力ではないだろうか。

これからあなたが生活をしていく中で、これまでよりさらに多くの見知らぬ他者と触れ合うことになる。知っている人であっても完全に意思を伝えるのは難しいのに、見知らぬ人との対話は、より難しいと私も思っている。でも本書には、そんな世の中でも対話をするためのヒントが詰まっている。この本は、これからの時代のあなたの不安を拭い去ってくれるだろう。

著者より

タイトルにある「語りきれない」という語に惑わされずに、語ることの可能性をしっかり摑み取ってくださり、うれしいです。語ることは、心にひっかかった一つのことがらを、過去や未来といった不在の時間へとつなぐこと、ここではない場所での別の出来事へとつないでゆくことです。あなたの文章を読ませていただき、あなた自身が書評というかたちで、しっかりこのつなぎを果たしておられるのを目撃することができました。

（鷲田 清一）

書評した本

『マウス』

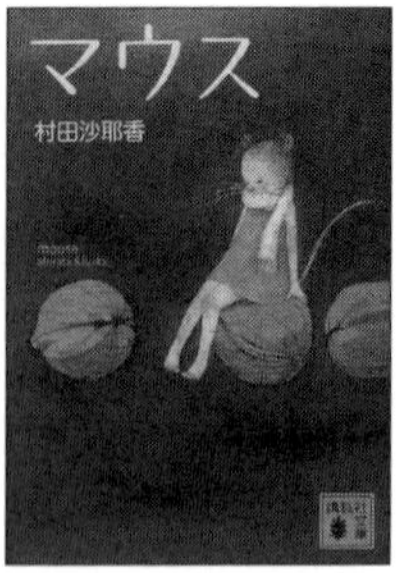

村田 沙耶香著

文庫判・256頁・616円
講談社
978-4-06-276912-9

書評した人

米山 あさみ《よねやま あさみ》

二松学舎大学文学部
国文学科２年

趣味はかぼちゃスイーツのお店探しと読書。現代文学をよく読み、好きな作家は瀬尾まいこと川上弘美。

あなたは周りの目を気にし、普通の子として見られるように生きているか。それとも周りの目を気にせず、自分の世界で生きているか。

　この物語は前者のタイプである律と、後者のタイプの瀬里奈を中心に話が進む。いつも泣いてばかりで、クラスの異物として扱われる瀬里奈。大人しく、協調することで面倒なことから避ける律は、自分のことを「臆病な女の子」という意味で「マウス」だと考えている。

　そんな律はなぜか瀬里奈のことが気になり、瀬里奈がいつものように泣き出し教室を出て行った時、こっそり後をつけた。そこで瀬里奈が一人で女子トイレの用具入れの中の排水用のシンクに腰掛け目を閉じ、自分の内にある「灰色の部屋」に閉じこもっていることを知る。律は「灰色の部屋」と比べものにならない華やかな世界があることを教えようと、図書室で借りた『くるみ割り人形』を大きな声で朗読した。すると瀬里奈の表情が打って変わり、その本の主人公である女王・マリーのようになってしまう。それから瀬里奈は全く泣かなくなり、クラスに溶け込み、華やかな女の子たちから一目置かれるようになる。しかし律とは世界が違ってしまい、律は瀬里奈の元から離れた。

場面は変わり、小学五年生の自分を引きずったままの大学生の律。同著者の作品、『コンビニ人間』をどこか彷彿させるようなファミレスでのバイト。ここでは律の真面目さが求められ、仕事にやりがいを感じ、「マウス」でない自分を見つける。一方で、仕事や役割を離れた人付き合いは相変わらず。しかし瀬里奈との再会により少しずつ変化する。二人は些細なことを機に言い争い、本音をぶつけ合うことで弱点を知り、互いに自分とは何かを見つめ直す。それは英語の辞書の「mouse」の項目に、「かわいい子、魅力ある女の子」と書き足したいと思えるようになった、律の気持ちの変化からもわかる。

『マウス』には「学校の中の価値観は、発言権のある子によって支配されているんだなあ」という律の思いが書かれているが、学校や職場などでリーダー的な存在の人に合わせて、思ってもいない発言をせざるを得ない状況は、誰にでも経験があるのではないだろうか。社会的基準から考えれば、学校のクラスという小さな枠組みの中で作られた価値観ではあるが、視野も世界も狭い十代にとっては非常に大きなものである。そして二つの作品に共通するのは、学校の中で「自分の価値観」のみに正直に生きることは難しいということだ。「自分の価値観」を外に出すことによって、自分勝手とか空気が読めないなどと言われ損をする為､学校内の価値観に捉われて「自分の価値観」を殺しながら生きようとする主人公たち。瀬里奈にしても、周囲からは自分勝手だと思われがちだが、実際は「自分の価値観」だけで生きてきたとは言い難い。『くるみ割り人形』を繰り返し読み、自分がこうなりたいというマリーの存在を確かめていないと、在りたい自分が分からない瀬里奈なのだから。

性格も趣味も似ていないのに仲が良いという友人は二人に限らずよくあるだろう。律と瀬里奈もタイプこそ違うが、互いに劣等感や弱さ、また価値観の違いを認め、成長する関係性の素晴らしさが『マウス』には描かれている。

書評した本

書評した人

『乃木坂 46 のドラマトゥルギー
演じる身体／フィクション／静かな成熟』

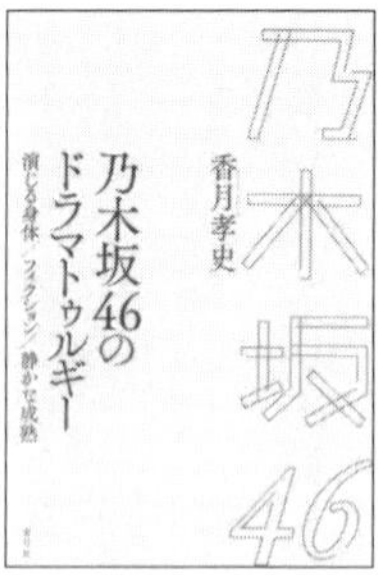

香月 孝史著

四六判・264 頁・2200 円
青弓社
978-4-7872-7431-1

日隈《ひぐま》 脩一郎《しゅういちろう》

東京大学大学院
教育学研究科
博士後期課程 1 年

研究領域は近代日本教育思想史で、最近は保育の歴史に関心があります。暇があれば映画や絵画、アイドルを観に行っています。神宮球場でビールを飲むのが好きです。

本書『乃木坂46のドラマトゥルギー』は、今や泣く子も黙るメジャーアイドルグループ・乃木坂46（以下、乃木坂と略記）に関する分析を中心としながら、アイドルをアイドルたらしめるものとは何か、その探究を注意深く進めるアイドル論の好著である。

著者の香月孝史は前著『「アイドル」の読み方』（青弓社）以降、アイドルの輪郭を縁取ろうと努めてきた。「混乱した語りを問う」との副題を掲げる前著において、香月は歌舞伎研究者・郡司正勝の「饗宴」というテクニカル・タームを援用し、ジャンルとしての「アイドル」を演者と観者が必ずしも分化していない「場」だと規定してみせた。近代西洋の舞台芸術が演じる者と観る者との截然たる分離を基本的に前提することに対し、アイドルファン（≒オタク）がライブの内外において「アイドル」という場に参入し得ること、その事実を積極的に捉え直したことは、好意的に見ても他の舞台芸術論の焼き直しでしかなかったアイドル論の歴史において、革命的な仕事だった。

では、生身のアイドルが単なる演者ではないにせよ、彼女たちにとり「演じる」とは何か。この問いを立てることにより、前著以来の仕事を本書は前進させる。そこで典型として選び取られるのが、ほかならぬ乃木坂なのである。それは乃木坂が「舞台演劇を中心に『演じる』芸能者を育てる志向をもつ組織だから」であり、「アイドルという身体が「演じる」ことの意味に関して、重要なサンプルをいくつも残してき」たからだ（本書「まえがき」）。楽曲のみならず、映画、ミュージックビデオ、そして演劇といった多様な手段を通じて、乃木坂はいかように「演じる」ことと向き合ってきたのか。その分析を通じて、著者は「アイドル」という表現形式全般への見方を拘束してきたある図式を抉り出す。

白眉は第八章「演じ手と作品の距離」にあるだろう。乃木坂の姉妹グループ・欅坂46のデビュー曲となった「サイレントマジョリティー」に関する論考が中心となるこの章では、「大人たちに支配されるな」という同曲の歌詞に対する揶揄の前提が明らかにされる。「現に支配されているじゃないか」という揶揄は、歌う当人たちが「大人」に「支配」されたうら若き少女たちであるという関係性を、無反省に読み込み、あるいは自明視することでしか可能にならない。

この端的な例から分かるのは、リアルな生を賭けてその身体を全面的にテレビ画面や舞台上に晒している、という見方がアイドルに対する視線としていかに強固であったかということだ。むろん、そうした生身の身体性への信念が、アイドルの危うくも先鋭的な魅力を引き出す源泉の一つであったことは疑い得ないが、そうした消費のされ方ばかりをアイドルは甘受してきたわけではない。「サイレントマジョリティー」の前史として乃木坂が歩んできた軌跡は、そうした「甘受」ではない「拒否」の身ぶりをはらむものであった。本書は、その拒否の歴史を主として乃木坂に見いだすことで、「アイドル」というジャンルの特質を明らかにせんと試みる。著者の節度ある距離感と愛とが可能にする批評の手際の良さは、本書にあたることでしか知り得ないだろう。

著者より

丁寧に読み解いていただきありがとうございます。ステレオタイプを問い返すことは本書の大きな指針の一つですが、その志向をしっかり受け取ってくださっているように感じます。とりわけ嬉しいのは、本書への評執筆を通じて評者自身の思考がさらに練られていく気配がうかがえることです。おそらく、この書評の紙幅ではまだまだ書き足りなかったことがあるはず。問題意識を言葉にしていくための触媒になれたのならば本望です。

（香月 孝史）

書評した本　　　　書評した人

『ほんまにオレはアホやろか』

水木 しげる著

文庫判・256 頁・660 円
講談社
978-4-06-293369-8

三和 優吾《みわ ゆうご》

北海道大学大学院
環境科学院修士課程 1 年

専門は農学および植物学。科学研究から農政や社会問題に関心が移る（しかし科学も捨て難い！）。最近読んだのは円地文子著『白梅の女』。

私はとても良い子だったと思う。一生懸命に勉強をして、良い高校へ進学し、浪人までして国立大に入学した。あまり勉強は好きではなかったけど、みんなが私をチヤホヤしてくれるからつい嬉しくなって、大学院まで進んでしまった（ああ、しまった……）。

脇目も振らず頑張って、自らを省みたときに著しい虚無を感じることはないだろうか。私は今まさにそんな感じ。特に「あなたはどんな研究をしたいの」と問い詰められると答えに窮す。好きって一体何だろう。

私は卑屈になると図書館に籠もる。私の観察によると、およそ読書家は乱読型と精読型に分かれる。私は前者だから、なんでも読む。そして読んだ本はまず繰返し手に取ることはない。

でも、この本だけは繰り返し読んでいた。

本書は水木しげるの自伝である。水木しげるは後に漫画家として大成するが、出来の良い子どもではなかった。学校も仕事もまともに勤まらないため両親は「この子はアホちゃうか」と頭を抱えてしまう。しかし水木サン（水木本人が、自分を「水木サン」と呼んでいる）自身は違った考えを持っていたようだ。

水木少年はガキ大将の仕事の合間に趣味に没頭する。

野山で昆虫の観察をしたり、近所のお婆さんから伝説や妖怪の話を聴いていた。青年期には宝塚の少女歌劇や動物園に通った。そして日常の世界と違う「異界」に強く心が惹かれたと振り返っている。

水木サンは「異界」から世界の有り様を学んでいく。そして虫にもいろいろな種類があるように、人間にもいろいろな種類がある。型通りの生き方でなくても、大地の神々がきっと自分を生かしてくれるという信念に達する。

この「生かされる」という信仰は本書に通底する。この「信仰」は現代の若者にとって得がたいものだと私は感じた。

たとえば私は今まで誰かに認められる事に人生の喜びを感じていた。しかし裏を返せば皆の期待に添わなくては、という不安を抱えていた。その結果、私は自分の好きと世間の評判とが見分けられないカラッポ人間になってしまった。

しかし現代においては皆が空気を読んで一緒に生き過ぎている。また世間の枠組みから外れた人に極めて冷たいと思う。

青年水木が現代に蘇れば間違いなく問題児だ。言い換えるなら戦中戦後の混乱した時代と水木サンの生き方があっていたとも言える。しかし私は現代にこそ水木サン的思想が必要だと思う。

人は一人では生きられない。でも必ずしも皆と一緒に生きる必要もない。世間と違った好きを突き詰めて生きることも出来る。

私は今さら好きを見いだすことは出来ないかも知れない。しかし皆の期待という呪いから自由になっても許されるのだと本書から教えられた。

編集者より

良い子で育った三和さんが、水木先生の問題児人生の哲学に感銘を受ける――これぞ読書の醍醐味。読書は誰かの出来事を追体験できて、思わぬ考えが聞ける有意義なものです。戦中戦後の多くの危機を乗り越えた日々と人生訓をユーモラスに描いた本書は、想定外の危機に直面する今こそ役に立つでしょう。生き方を学んだという若者・三和さんの書評を拝読し、生誕一〇〇周年を迎える中、これからも読み継がれる名作だと改めて確信しました。

（講談社　岡本淳史）

書評した本　　書評した人

『風が強く吹いている』

三浦 しをん著

文庫判・670 頁・1045 円
新潮社
978-4-10-116758-9

川野 莉歩
かわの りほ

大妻女子大学
人間関係学部
人間福祉学科４年

趣味は音楽鑑賞。最近は行ったことのない場所へお散歩に行くことが好きです。

　三浦しをん、彼女の名は、あまり本を読まない私でも知っていた。ただ有名な小説家だということ、最初の情報量はそれだけだった。そんな私が何故本書を読んだのか。

　きっかけは、二〇一八年十月から日本テレビ系列で放送されていたテレビアニメ『風が強く吹いている』だった、私はそのアニメに夢中になってしまったのだ。

　その後で、原作が小説であることを知った。小説ではアニメで描かれていた様々な場面が、どんな風に描写されているのだろう、その興味から本を購入してみると、あっという間に読み切ってしまった。

　主人公は二人、ハイジとカケルという大学生だ。高校時代に暴力事件を起こし、駅伝から遠ざかっていた才能溢れるカケルと偶然出会うハイジ。そんなカケルをハイジは格安学生寮に誘う。そこには個性溢れる八人の学生が住んでいた。カケルとハイジを合わせて十人。そしてハイジは全員に告げる、「ここに居る十人で箱根駅伝を目指す」……と。

　箱根駅伝、誰もがよく知るイベントだろう。例年正月の二日間に渡って行われる大学駅伝の競技会だ。私も毎年欠かさず見ている。襷を繋ぐために全力で走る選手たち、脚本も演出も何もないはずが毎年違ったドラマや感動が生まれる。

　この物語はそんな箱根駅伝を舞台にした青春小説である。

本書の見所は何よりも主要登場人物十人である。主人公のハイジやカケルは勿論、他のメンバーまで、全員がとても魅力のあるキャラクターなのだ。二年間浪人、加えて二年間留年をしているヘビースモーカーのニコチャン、司法試験に一発合格した秀才ユキ、クイズ番組が大好きな就活生キング、田舎育ちの好青年神堂、国費留学生のムサ、漫画オタクの王子、元サッカー部の双子ジョータとジョージ。初めは乗り気ではなかった部員が、だんだん駅伝に対して真剣になっていく。その背景に注目してほしい。ある者は家族のために、ある者は過去の自分のために、そしてある者は皆のために。無我夢中で箱根を駆け抜けることになるのだ。

私には最も心に残った台詞がある。

「俺は知りたいんだ。走るってどういうことなのか」

これは主人公であるハイジの台詞だ。カケルに対し「走るのが好きか」と尋ねた後に放った台詞である。走るとはどういうことなのか。私はこの問いをとても難しく感じた。そもそも「走ること」に対して深く考えたことは一度もない。それは私が駅伝を経験したことがないからかもしれない。しかし、経験していたとしても難しい問いだと思う。この場面でハイジはどんな答えを欲していたのか。「楽しいから走る！」なんて安易な答えが欲しかったわけではないだろう。走ることは一体なんなのか。この問いは解決することができるのだろうか。

「学生時代」「青春」という言葉を聞いて思い浮かべるものは何だろう。恋愛、文化祭、修学旅行。沢山の行事や印象深いエピソードがあるはずだ。その中で私は迷わず部活動と答える。恋愛もお祭りごとも旅行も大人になってから味わえるものだ。しかし部活動は違う、部室があって、顧問がいて、部員がいて……学生時代だからこそできる活動なのだ。時には笑い合い、喧嘩もし、涙を流す。彼らの絆を見て、部活に一生懸命打ち込んでいたあの日の気持ちが蘇った。

彼らが本気で走り抜いた青春を、是非手に取って見届けてほしい。

編集者より

私も毎回、胸熱になったり涙したりしながらアニメを見ていました。

「最も心に残った台詞」の問いかけを他人事でなく、わが事として考えているのが素敵です。またその答えを明かさず、「この問いは解決することができるのだろうか」と問いかけで返すのがうまい！　だって、伏せられると答えを知りたくなりますよね。川野さんの術中にハマり、『風強』を読み返したくなっています。見事！ です。

（新潮社　出版部　田中範央）

書評した本　　書評した人

『コンテクスト・オブ・ザ・デッド』

羽田 圭介著

文庫判・560頁・1056円
講談社
978-4-06-513435-1

上田 彩香
うえだ あやか

二松学舎大学
文学部国文学科

最近は子供の頃に読んでいた児童文学を読み直すことにはまっている。「セブンスタワー」シリーズ、「クロニクル千古の闇」シリーズを読む予定。

本書を読み終え、無意識に「コンテクスト・オブ・ザ・デッド　感想」で検索しそうになった自分にハッとした。作中で、見たばかりの映画を検索し、ネット上の感想を正しいと信じこむ人物がいた。そんなことをしても映画を見た意味は全くないだろう、と私はその人物を馬鹿にしていた。なのに、読み終わった途端に全く同じことをしようとしていたのだ。

本書は複数の視点で書かれた群像劇だ。専業作家でありながら文壇の仕事がほとんどなく作家としては死んだも同然のK、生活保護受給者の不正利用を審査する区の職員新垣、過去の功績だけで生き続ける老作家への厚遇を止められない編集者たち、投稿を続けるも全く芽が出ない作家志望の昌など、視点人物それぞれの生活が描かれている。どの人物も生き生きとしているとは言い難い。彼らは生産性が無く社会的に死んだ存在であるか、またはそういった存在と関わって生きている。

ゾンビは、そんな彼らが生きる社会に突如発生する。ゾンビに感染したら自分もゾンビになってしまうにも関わらず、特に大きなパニックは起きず、誰もが日常をほんやりと続けていく。しかも、意思を持たずに暴れるゾンビだけでなく、自我を保ったまま人間と同じ生活を続けるものも現れたため、人々はゾンビが存在する新たな日常を受け入れかけてしまう。そして世界がゾンビで溢れてやっと、パニックになる。この緩やかな世界の傾き方に、もしゾンビが今の日本に現れたらこんな展開になりそう、と思わせるリアリティがあった。

本書では自分の思うままに生きる人間らしいゾンビも、何も考えず他人の意見にふらふら従うゾンビみたいな人間もどちらも登場する。そのため、こんな問いを持たずにはいられない。自我を持つゾンビと自分の意思がない人間、どちらの方が人間らしいと言えるのだろうか。そして、たとえゾンビに感染していなかったとしても、自分の意思を失ってしまえばゾンビと変わらないのではないか。

冒頭でも述べたように、私は誰かの感想をネット検索することが当たり前の癖になっていた。本に限らず、レストランやコスメなどあらゆる口コミサイトがネット上に氾濫していることからも、この癖は私だけのものではないはずだ。しかし、この癖を続けていると他人の意見を自分の意見だと思い込み、自分で考えることをやめたゾンビになってしまう。簡単に情報が手に入る現代社会では、誰もがこういったゾンビになりうるのだ。

本書のおかげで私はゾンビになりかけていたと気づくことが出来た。もしも本書を読んでいなければ、私は自覚のないまま完全なゾンビとなっていたのだろう。皆さんはゾンビにならない自信があると言い切れるだろうか。どうかこの本を読んで、自分がどれだけゾンビに近づいているのか確認してみてほしい。

書評した本

『声なき叫び　「痛み」を抱えて生きる
ノルウェーの移民・難民女性たち』

ファリダ・アフマディ著

四六判・320頁・2200円
花伝社
978-4-7634-0919-5

書評した人

村山 木乃実
むらやま このみ

東京外国語大学大学院
博士課程

専門分野は宗教学とペルシア文学です。神秘主義に興味があり、現在は現代イランの知識人の文学作品に表れる神秘主義について研究しています。

世界中で大流行しているコロナウイルスは、日本の社会問題を浮き上がらせた。そのひとつに、日本で暮らす外国人への差別があることはいうまでもない。本書は、移民の受け入れに寛容ではなく、このような差別も蔓延する日本社会に疑問を感じているすべての人に一読を勧めたい本だ。

ノルウェーは、移民・難民受け入れの先進国として知られている。しかし、そのような福祉国家においてでさえ、既存の制度から置き去りにされてしまっている人たちがいる。著者であるファリダ・アフマディ氏は、非西欧諸国から来たマイノリティ女性たちが抱える精神的・身体的痛みに向き合う。著者はこうした女性たちの語りを通じて、様々な問題が複雑に絡み合う痛みの要因を探る。そして、彼女たちが個人として承認されていないことこそが痛みの根源であることと、それを生み出しているのは多文化主義であることを明らかにする。多文化主義は宗教や文化を許容するように思われがちだが、原初的特徴を際立たせるがゆえに、人間の基本的なニーズを隠し、対立を煽る側面も持つ。さらには、それが政治権力と結びつくと、マイノリティのなかに特権階級を生みだし、結果として社会の分断が加速する。弱い立場にいるマイノリティ女性たちの声はますますかき消されてしまい、二重に貶められ希望を失ってしまうのだ。アフマディ氏はこれを「未公認の多文化主義」と名付けている。

その上で、マイノリティ女性たちが社会の帰属意識を獲得するための次の二つの取り組みを提案する。一つは、未公認の多文化主義から普遍的多元主義への移行である。民族や宗教、文化によるグループよりも個人を重視することで、マイノリティもマジョリティも国の繁栄に携わる一員であることが強調される。もう一つは、グローバルな良心、すなわち人類は一つの体のように繋がっているという一体感を身に着けることである。私たちは広くつながりを持ち、グローバルな現実と向き合い、互いに関する知識を得続ける必要がある。そうしてこそ、あらゆる人が参加可能な共生社会を生み出すことができるのだ。

アフマディ氏はアフガニスタンで生まれ、祖国では医学を学ぶ傍ら抵抗運動にも参加し、その後世界中を旅した経験を持つ、社会人類学者であり難民女性支援の活動家である。修士論文から生まれた本書は、マイノリティ女性たちの声を医学的・社会人類学的見地から豊富な文献に基づき丁寧に分析しているのが特徴だ。専門を生かした著者ならではの研究である。

本書の冒頭と末尾には、ペルシア文学最大の詩人であるサアディーの詩が引用されている。ニューヨークの国連本部ビルのホールの壁にも飾られているほど有名なこの詩は、アフマディ氏の本書で伝えたい思いを見事に表現している。詩は、理路整然とした言葉によって取りこぼされてしまうような感覚や感情をすくいとり伝えることができる。説明的な記述のみならず、詩をも通じて読者に訴えかけるところに、本書の魅力があると思う。

アダムの子である人間は
同じ土から創られた
ひとつの体の手であり足である
一本の足が痛むと
手も、ほかの足も、安穏としてはいられない
他人の悩みに目を向けない人は
人間と呼ぶに値しない

（石谷尚子訳）

訳者より

よくぞここまで読み込んでくださいました！　著者はマイノリティ女性の身体の痛みの原因が社会にあることをつきとめました。日本で暮らしている難民からも身体が痛いという話をよく聞きます。差別、文化の押し付け、「外国人」として一括りに見る目など、日本にも同じ社会的問題が存在している証です。著者が言う「グローバルな良心」を端的に表現しているのがサアディーの詩。多様性社会を目指すとき心に刻んでおくべき詩です。

（石谷 尚子）

書評した本　　書評した人

『愛するということ』

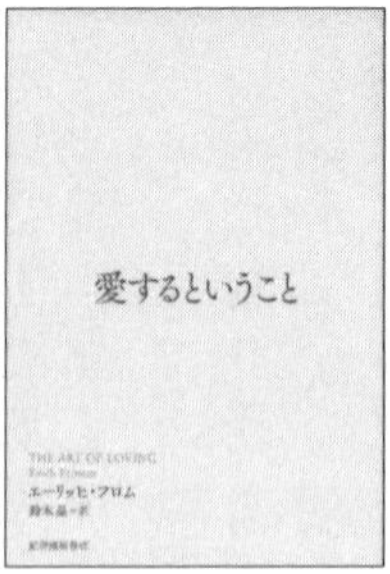

エーリッヒ・フロム著

四六判・212頁・1430円
紀伊國屋書店
978-4-314-01177-8

井上 京維洲《いのうえ きいす》

立教大学法学部
国際ビジネス法学科４年

大学で政治思想を学んだことをきっかけに、哲学に興味を持つ。洋の東西を問わず、自分の興味の向くままにのんびり勉強しています。

私たちは、日々の中で多くの不和を目撃する。相手を好ましく思ったり、愛おしく思ったりする感情が根柢にあるにもかかわらず、友人や恋人、家族との関係が破綻してしまうことがある。

無論、私自身も例外ではない。例えば、好ましく思う相手がいたときに、相手のためになると思って何かをする。しかし、それが本当の意味で相手のためになったという確信を得たことは非常に少なかったようにすら感じる。

これらの経験から、「なぜ、相手に対する愛情に基づく行動や関係が失敗に終わってしまうことがあるのか」「そもそも愛とは何か」といった、愛に関する問題が私の中で大きな関心事になった。

愛に正解など存在しないのだろう。それならば、自分なりに愛について考え、自分なりの答えを見つけたい。そう思った私は、その手引きとなることを期待して、本書を読んだ。

本書では、愛は人間が抱える孤独の問題を解決することができる唯一の方法とされている。人間は生まれながらにして孤独だが、愛の実践を通してその孤独感を解消できる。しかし、それは成熟した愛に限った話だ。愛には、成熟したものだけでなく、未成熟なものも存在するという。現代では、成熟した愛はほとんどみられない。なぜなら、愛について考える時、大半の人が自らの愛する能力という視点を失ってしまっているからだ。成熟した愛を実現するためには、他者や自分自身に対する向き合い方を学ぶことが不可欠だ。愛の問題を自らの愛する能力の問題として捉え、成熟した愛の実現のために必要なことを、様々な例を出しながら論じているのが本書の内容だ。

著者曰く、成熟した愛は、愛する者の自然な成長を支え、その人らしく成長発展したその人と関わることで達成される。相手を自分の自由になるように仕向けたり、支配したりすることは、未熟な愛だという。

私は、ここに、関係が破綻する要因の一つが明瞭に示されていると感じた。自己の利益を目的とした「愛」は未熟であるから、失敗に終わるのではないか。自己の利益が目的である場合、それが達成されれば、「愛」を継続する理由がなくなり、関係が終了するからだ。成熟した愛を実現できるかは、その人を自己の利益のために利用しないよう心がけることが鍵になるのではないだろうか。

著者曰く、愛を実現するためには、愛に関する知識と努力の蓄積が必要だ。すなわち、愛も他の何らかの技術を習得する時と同様に、よく学び、修練に励み、愛に対して関心を強く持ち続けることが不可欠なのだ。愛の概念や愛し方について義務教育で学んだ人は、私を含め、おそらくいないだろう。私たちの関心は、成功や名誉、富などにあり、それらを得る方法に向かいがちだ。愛を求める私たちは、愛の問題に対して技術の習得の時のような姿勢で臨めているだろうか。

愛だけは、自然と身につくなんてちょっとうますぎる話だ。勉強や技能と同じように、たゆまぬ鍛錬の上に初めて身につけることができるものだという認識をもち、人を愛することに対して、もっとエネルギーを割いてみてもいいのかもしれない。

愛について、とまではいかなくとも、どうしたら相手のためになることができるか考えてみたことがある人、あるいは考えてみたいと思ったことがある人は、少なくないのではないか。本書はその思考を大きく助けるものだ。一読をお勧めする。（鈴木晶訳）

訳者より

自分の体験や問題意識から出発するというのは書評の王道ですね。書き出しからぐいと引き込まれました。続く部分では本の内容がじつに適切に要約されていて、書評者が優れた読書力の持ち主であることがわかります。最後の一文は推薦文になっていて、訳者としては大変うれしいです。ほとんどの人が「愛」を当たり前のことと見なし、あらためて考えるべきものとは思っていない現状に一石を投じる書評をありがとうございました。

（鈴木 晶）

書評した本

『葡萄が目にしみる』

林 真理子著

文庫判・240頁・482円
KADOKAWA
978-4-04-157908-4

書評した人

金井 志織
かない しおり

大東文化大学文学部
日本文学科4年

本を読むことと音楽を聴くことが好きです。最近は映画やドラマを観る時間も増えました。作品についていろいろ考えるのが好きです。

初夏の風にさらさらと揺れる葉、未熟な硬い実をつけた房、山の斜面をなぞるように続く葡萄畑。読み始めて一番に湧いたのは、懐かしさだった。

東京から急行で二時間、山を越えた先にある町に住む岡崎乃里子は、葡萄農園を営む家に生まれた。物語は、乃里子が葡萄の種をなくす薬液である〈ジベ〉に房を浸す作業を手伝うところから始まる。薄桃色の薬液は、指や服を紅く染め上げてしまう。紅く染まった子供の指は農家の子供の証であり、それは乃里子にとって、地味で冴えない子供の証でもある。乃里子は、自分の容姿が嫌いだった。従姉妹の葉子は、垢抜けた見た目で、大人びた表情で笑う。乃里子の両親でさえ、「器量がいい」と葉子を褒め、しきりに可愛がる。乃里子は、垢抜けない自分を恥じると同時に、愛嬌を振りまき、同級生の男子と仲良くするクラスメイトの女子たちを非難めいた目で見ていた。乃里子にとって、彼らとの交流など考えられないことだった。未知の世界に憧れを抱いた乃里子は、男女共学の高校へ進学する。

私も冴えない中学生だった。電車で三十分の「町」の高校に進学することが決まった時は、今までとは違う自分になれるかもしれないと、期待に溢れていたものだ。

高校生になればきっと素敵な日々が待っている、乃里子もそう思いながら、高校まで自転車を走らせていたことだろう。しかし、現実はそんなに都合の良いものではない。乃里子は高校生になっても、コンプレックスを抱え、共学校にいながら華のある生活とは無縁の自分と、女子校に進んでもなお華々しい青春を謳歌する葉子の姿を見て、憎しみを募らせる。そんな乃里子だが、ひっそりと思いを寄せる相手がいた。生徒会書記長の保坂である。彼を思う時間は、乃里子にとって青春だったと言えるだろう。彼女も、彼女なりに青春を謳歌していたのだ。しかし、〈初恋は実らない〉とはよく言ったもので、乃里子の初恋もあっけなく散ってしまう。乃里子なりの青春をどれだけ謳歌しようとも、華々しい青春を送る女子校の生徒には敵わなかったのだ。生まれ持ったものの差は、どうしたって埋められない。「大っ嫌い。大っ嫌い。大っ嫌い」。そう言いながら、一人弁当を飲み下す乃里子の姿は、苦しくて揺るがない現実を見せられているようで、胸が痛くなる。苦い失恋を乗り越え、三年生に進級した乃里子は、高校生活最後の一年を迎え、大学受験という人生の岐路に立つ。

この作品は、学生時代の煌めきを閉じ込めたような青春小説とは一線を画すものである。作中に散りばめられた青春は、ミルクを落とした水のように、くすんだ色をしている。自分自身に思い悩むことも、女友達への嫉みも、恋に苦悩する姿も、その全てが、青春のリアルなのである。しかし、そんな高校生活の中で、乃里子はいつでもしたたかなのだ。華やかな青春とはかけ離れた自分を、彼女は決して諦めない。「いつかどこかで、青春のつじつまが合う」ことを、中学生になっても高校生になっても、乃里子は固く信じているのだ。本作がどこかすっきりとした味わいを持っているのは、浮かばれない自分を悲観しつつも、自分の気持ちに正直に、確かな足取りで学生生活を歩む乃里子の姿があるからだと思う。決して綺麗とは言えないこの青春物語は、きっと多くの人の記憶と心に刺さることだろう。

私は、不器用ながら懸命に自らの青春を創り上げる乃里子の姿を、懐かしく、自分を重ねるようにして眺めていた。それは、私が乃里子と同じ環境で育ったからという訳ではないだろう。田舎育ちも都会育ちも関係なく、全ての人の青春が「目にしみる」一冊である。

書評した本 | 書評した人

『小説家の四季』

佐藤 正午著

四六判・294 頁・2090 円
岩波書店
978-4-00-061102-2

山邊 恵介
やまべ けいすけ

筑波大学大学院
人文社会科学研究科
現代文化学専攻博士前期１年

長崎県出身。「有用／無用」性の概念に注目して、「仕事」「働くこと」とは何かを考えています。好きなものは、ラジオと編み物とお茶を飲むこと。

本書は、小説家である佐藤正午の、長崎県佐世保市でのおよそ九年分の日常が記されたⅠ部「小説家の四季」と、断章のように小説家の思考が刻まれたⅡ部「作家の口福」、他の小説家の作品解説を収録したⅢ部「文芸的読書」からなる一冊だ。

随筆であるⅠ部とⅡ部では、小説家がいかに小説を書く以外の日常から成るかが、競輪場や図書館、喫茶店、あるいは料理や買い物についての文章から伺える。が、それでも目を惹くのは、小説家の日常に織り込まれた読書の光景だ。モーリス・ドリュオンの童話を編集者から贈られ、近松秋江を図書館で探し、吉行淳之介を眠る前に棚から取り出す。小説家が本を手にするその時、それまでの日常にさっと冷気がよぎり、本と個の世界がはじまる緊張が予感される。緊張の後に広がる世界は、Ⅲ部「文芸的読書」に集約されている。特に、そのうちの一編、野呂邦暢『愛についてのデッサン―佐古啓介の旅』への解説に注目したい。解説は、「私事」と題されている。

小説家、野呂邦暢は長崎県諫早市に生まれ、彼の地で作品を書き、没した。享年四十二歳。その死の二年前、まだ佐藤正午と名乗っていなかった二十一歳の学生は、小説家の『諫早菖蒲日記』を読み、自分の住む佐世保市から隣の諫早市へ手紙を書いた。小説家は、無名の学生に返信した、らしい。三十年の時間の中で、学生は小説家になり、諫早の小説家は亡くなり、学生に届いた小説家からの手紙は何処かへいってしまったという。そもそも本当に返信は来たのか。「実は、あれから三十年ほどたつうちに僕が、野呂邦暢という作家を大切に思うあまり、自分に都合よく捏造した記憶なのかもしれない、そう疑ってみる余地があるということだ」。感想を認めたいと思うような小説を書く人から、手紙の返事がきた。それは捏造を疑うほどに、紛れもなく幸福な記憶であろう。

優れた小説家は優れた読者でもある。本書に収録された、他の作家の小説への解説に、小説家・佐藤正午の精細な読書の姿が見える。例えば、伊坂幸太郎『残り全部バケーション』への解説「本気」では、伊坂氏の小説作品の奇妙な設定や唐突に思われる展開の連続の中に、いかに小説家としての「正論」が貫かれているかを、本文に書かれていない場面までも視野に入れながら、まさに解いて、説く。佐藤の前で、小説作品はそのメカニズムを明らかにするほかないのか、とさえ思える。

しかし、野呂邦暢の作品について書かれるのは、そうした「解説」とは全く異なる文章なのだ。確かに佐藤は野呂邦暢作品を極めて慎重かつ丁寧に解いている。その「詩性」と「笑い」について限りない親しみと畏敬を込めて、その一文一文を幸福な読書の経験、喜びに満ちた本との関係を呼び起こすものとして、労わりながら、引用する。野呂邦暢の作家史を見つつも、それは冷徹な分析でもユーモアある批評でもない。それは訥々と思い出を語る声だ。この「文章」を読む者それぞれに、自らにとって大切な作家の、美しい作品を読んだ時のことを思い出させる声。仮に野呂邦暢を知らずとも、繰り返し開きたくなる本が一冊でもある人ならば、小説家が何を語っているかが感じられるだろう。「私事」と呼べるほど濃密な、小説家と読者、本と個の関係の一端として、この短文はある。たとえ覚え違いであれ、小説家がその思い出を語る時、それを聞いた者たちは自らの「私事」を思い出す。

書評した本

『中国の行動原理
国内潮流が決める国際関係』

益尾 知佐子著

新書判・328頁・1012円
中央公論新社
978-4-12-102568-5

書評した人

木村《きむら》 友祐《ゆうすけ》

東京大学文学部
社会学専修課程３年

読書はもちろん、他にもＪＡＺＺを聞くのが趣味。特に Bill Evans というジャズピアニストが好きで、中学生からずっと聞き続けている。

米中貿易摩擦、一帯一路、あるいはコロナウイルスなどに関連して、近年中国の対外行動について新聞やニュースで目にする機会が増えてきている。しかし、中国は国際関係のルールから外れた行動を取ったり、突然方針を変えるなど、その動きは理解しがたいことが多い。では、中国の対外行動はなにをもって行われるのか。それを規定するルールがあるとすれば、それはどのようなものだろうか。本書はその答えを、毛沢東から習近平までの中国内の通史的分析に加えて、地方政府、海軍とそれぞれの中央政府との関係についての事例分析を通して明らかにしていく。

本書が指摘するように、中国の対外行動は中国が国外の動きにどう対応するかという方向から説明されることが一般的であった。しかし、本書は中国の伝統的な家族構造が、実は対外行動の指針の根底を決定づけているという独自の視点を取る。中国の伝統的な家族構造では、一族の家父長が絶対的な権力を握る一方で、その息子達の間には日本のような兄—弟の上下関係がない。そのため、家父長一人の機嫌に合わせることが息子間で競争に勝つ鍵となっている。他方で家父長側も息子達の不満を発散させる必要がある。そして、中国共産党を含めた中国の多くの組織は、こうした伝統的家族構造と同じ構造を持つ。すなわち、人々は中国の組織では絶対的なリーダーである国家主席の動向に合わせて行動する。国家主席も部下を時に強く支配し、時に支配を緩め、中国共産党という組織を維持しようとする。つまり従来は、「外」の動きが中国の対外行動を決定づけると考えてきたのに対して、本書では「中国共産党を維持する」という中国「内」の独自の論理が中国の対外行動を決定すると説明がなされている。本書によれば中国にとっての対外行動は、あくまでも国内を上手く制御する道具に過ぎない。

私がこの本を手に取ったのは、米中貿易摩擦に興味を持っていたからであった。公正な貿易を求める欧米諸国に対し、中国は世界貿易機構のルールから外れているにも関わらず、自分達は正しく貿易をしていると主張することがある。このズレはなぜ生じるのか、疑問に思っていた。しかし、本書の説明に従うとこのズレは当然に見える。そもそも中国側は「中国共産党をいかに維持するか」をゲームのルールに据えているのであって、国際関係のルールは二の次なのである。しかもその根本に伝統的家族構造が潜在しているというのは驚きだった。

本書は構成としても、既存研究のまとめから始まり、核となる理論を提示したのちに事例分析を行っているため見通しよく読める。また、事例も豊富なために中国にそれほど詳しくなくても読み進められる。唯一残念だった点は中国の「外」の動きへの対応が、「それ（＝中国国内で生き残る際の脅威）に比べると、中国をとりまく外来の脅威は、まったく差し迫っていない」と第一章で分析の枠外から予め外されてしまっていることである。しかし、例えば毛沢東は中国共産党の維持とソ連との協調に板挟みになっていたように、対外の脅威を全く無視して議論は進められないはずで、本来は分析の枠内で「内」と「外」の脅威が比較されるべきである。

その点を含めても、本書は、中国国内の論理という新たな視点は従来の分析の「死角」を補ってくれている点で非常に有益な一冊だと感じている。

編集者より

木村友祐さん、書評をありがとう。内容をしっかり把握し、不足面も指摘してくれ、なるほどと思いました。個人的にはこの本の面白さは、E・トッドによる家族観の分類を援用した中国人分析、海洋局という一つの官庁の盛衰から中国の海洋進出を読み解いたこと、だと思っています。木村さんも、前者に特に関心を持ったようですね。ちなみに、著者は後者に並々ならぬ興味を持っていて、「まずこれを書きたかった」と話していましたよ。

（中公新書編集部　白戸直人）

書評した本　書評した人

『憤　死』

綿矢 りさ著

四六判・176 頁・1320 円
河出書房新社
978-4-309-02169-0

関谷 春香
せきや はるか

二松学舎大学文学部
国文学科３年

書道部に所属しており、最近はペン習字に挑戦中。好きな本のジャンルはホラーやミステリ。旧日本ホラー小説大賞受賞作は大体読了している。

小学生くらいまで、テレビのインタビューなどで、(20)という年齢を示すテロップを見ては強烈な憧憬を抱いていた。当時の私にとって、オトナは絶対的権力で、強くて、正しい存在であった。そして、自分もいずれはそうなれるんだと盲信していたから、早くオトナになりたくてたまらなかったのだ。

　本書は、四篇からなる短編集で、語り手が子どもの時の記憶を思い出し、大人になった現在と関連付けるという構成になっている。どの作品も「子どもから見たオトナ」と「実際のオトナ」のギャップがテーマの一つであると筆者は読んだが、それぞれ異なる味わいで読者を飽きさせない。

「おとな」では、語り手が自身の最古の夢を語る。その内容は、近所の夫婦に預けられた時に二人に布団の中で裸ではさまれるという、なんとも奇妙なものである。語り手は「なぜそんな夢を見たのだろうか」と疑問に思うのだが、ふと気が付くのだ。「五歳だった私が、あんな夢を見られるわけがない」と。子どもだって馬鹿ではないから〝分かりやすく〟怪しい人には近づかない。しかし、悪意を巧妙に隠して善人面したオトナまで見破れるだろうか。結末部の「彼らはいつも笑顔だった」という一文が印象的である。

　罪や悩みを打ち明ける側と聞く側、大人と子ども、どちらが優位に立っているかという問いに、大抵の人は「そりゃあ聞く側や大人が優位なんじゃない？」と答えるのではないか。「トイレの懺悔室」には、そういった力関係の脆弱さが読み取れる。優位性は、〃相手を制御できている〃という前提の下に成り立っている。だから、相手が自分の理解の範疇を超えてしまったら、それは相手に飲み込まれ逆転する。話を聞いたら最後、共犯関係に仕立て上げられ、逃げることすら許されない。崩れていく〃当たり前〃の力関係に、読了後はなんとも言えぬ後味の悪さが残る。

大人になると、子どもの時のように怒りを表現することが難しくなる。泣き叫んで、暴れて、何かに当たりたくなっても、理性が邪魔をしてしまうからだ。しかし、「憤死」の佳穂は違う。佳穂は恋人に納得いかない理由で振られて、ベランダから飛び降りた。悲しかったのではない。彼女は「怒りにまかせて、軽々と自分の命に八つ当たりした」のだ。我慢が求められるオトナの世界で、確かにぶっ飛んではいるけれど、感情のままに行動する彼女の生き様に憧れを持つ人も多いのではないか。

「人生ゲーム」は不条理な物語であるが、読了後は穏やかな余韻が残る。人生ゲームはルーレットを回して出た数で未来が決まってしまう「運ゲー」であるが、本物の人生だって同じことが言える。病気だったり、会社の倒産だったり、本人の意志ではどうにもならない不幸が訪れることもあるのだ。そんな時、人は何に救いを求めるのだろうか。「話を聞いてやる。いくらでも、何時間でも」——どうしようもない時、人はただ話を聞いてもらうことを求めるのかもしれない。

『憤死』は、〃オトナは決して完璧ではない〃ということを教えてくれる。どんなオトナも弱いところがあるし、間違えることだってある。子どもには想像がつかない闇を抱えていたりもするのだ。私が本書に出会ったのは中学生の頃だが、当時と二十歳の今とでは少し違った感想を抱く。成長するごとに、自分の「オトナ観」が変化しているからだろう。さらに年を重ねたときには、本書をどう読むだろうか。オトナに憧れを持つティーンから、オトナを充分に生きてきた中高年まで、幅広い年齢の読者に読んでほしい一冊である。

編集者より

本書は綿矢さん初の連作短編集。それだけに作家の様々な魅力が詰まった一冊なのだが、関谷さんがその中から〈「子どもから見たオトナ」と「実際のオトナ」のギャップ〉というテーマを引き出したのは、ユニークだ。例えばデビュー作『インストール』は押入れの中のパソコンで小学生と高校生が大人の世界の裏を覗くという物語だった。関谷さんの指摘は、作家の特性も捉えているのかもしれない。綿矢さんという作家が、大人と子ども、理性と感情などの力関係のバランスが崩れる瞬間を描くのが巧みだということに改めて気づかせてくれる。

（河出書房新社　編集部　高木れい子）

書評した本　　書評した人

『原爆の子　上・下
広島の少年少女のうったえ』

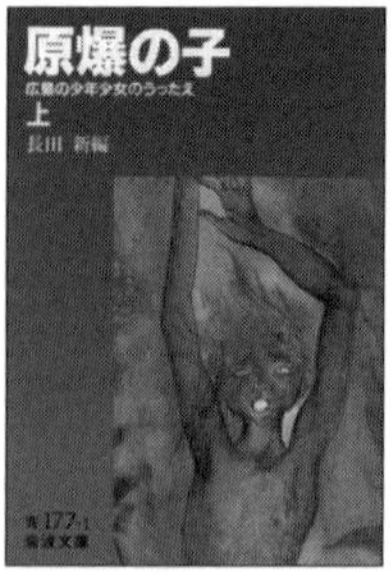

長田 新編

文庫判・㊤314頁㊦270頁・
㊤990円㊦858円　岩波書店
㊤978-4-00-331771-6
㊦978-4-00-331772-3

出口《でぐち》 もも《もも》

金沢星稜大学
経済学部経営学科２年

散歩が趣味。オンライン授業中に飼い猫が邪魔をしてくることが最近の幸せな悩み。

当たり前の日常が一瞬で壊され、目の前で大切な人たちが死んでいく。当時、たった四歳だった幼子は、その酷たらしい光景をはっきりと目に焼き付けていた。

本書は、教育学者である長田新氏によって編集された原爆体験文集である。彼自身も被爆し重傷を負ったが、家族や教え子の看護により九死に一生を得た。長田氏はその後、原子爆弾が感受性の強い幼子らにどのような影響を与えたかに強い関心を持ち、原爆反対などの平和運動に尽力した。原子爆弾が投下された日から約六年後、彼は学生と共に作文用紙を携え、広島県内の小・中・高・大学、さらに孤児院を回り、生き延びた子らに手記の執筆を依頼した。悲劇に直面した生々しい訴えを記録した本書は、日本のみならず世界の国々で大きな反響を呼び、これまで十数カ国語に翻訳され、新藤兼人監督の『原爆の子』や関川秀雄監督の『ひろしま』等の映画の原作にもなっている。

最初に目を奪われたのは、この世の生き地獄を味わった子らにしか書けない、純粋でストレートな表現だ。「わたしも死んでしまえばよかった」、この一文には、あの日から続く苦しみが詰まっている。甘えたい盛りの幼子は、さぞ両親が恋しかったろう。「ピカドンの毒が移る」などと、科学的な根拠のない差別もあったと聞く。それでもなお、必死に生きてきたのだ。読み進む度に、その苦しみを想像しては、涙が止まらなくなった。

正直、何度も読むのを止めようと思った。「水をくれ！」と叫ぶ学生、自身が血まみれとなっても、行方不明の我が子の名を狂ったように叫ぶ母親、「大日本帝国万歳！」と叫び、両手を挙げたまま倒れる兵隊……。子どもたちは口々にこの光景を「地獄」と表現している。

平和で安全な社会に暮らし、普段から命の危険を感じることがないからだろうか、本書を読んでいると、「これは本当に日本の出来事なのか」と疑いたくなる。しかし、これは紛れもない事実であり、忘れてはならない歴史なのだ。そう考えると、最後まで目を背けず、真摯に向き合って読むことが体験者に寄り添い、過酷な運命によって無念のうちに亡くなった人々の御魂を鎮めることになるのだと信じ、気持ちを奮い立たせながら読み続けた。

原子爆弾に関して書かれた本は、これまで数多く出版されている。多くの本に、原子爆弾が凄まじい破壊力を持つ無慈悲で残酷な兵器で、どれほど多くの人命を奪ったのか、そして、日本や世界にどのような影響を与えたのか、といった内容が書かれている。そのため重苦しいイメージが先立ち、平成生まれの若者が読み始めるには、少しハードルが高いのではないだろうか。そうした中で、タイトルには『原爆』と冠されているが、本書ほど読みやすい本はないと考える。なぜなら、その日その場にいた、衝撃体験を持つ子らの、複数の視点から文章が綴られているからだ。現実に被爆した子らが自らの身体知として語るからこその説得力がある。我が身に刻み込まれた恐怖や悔しさは、それを書いた子らと年齢が近い私たち若者こそ、想像力を働かせて理解すべきであろう。本書は、当たり前の日常がどれほど掛け替えのない大切なものであるかを、改めて教えてくれる。

書評した本

『朱色の研究』

有栖川 有栖著

文庫判・432頁・660円
KADOKAWA
978-4-04-191304-8

書評した人

宮下 夏実
みやした なつみ

二松学舎大学
文学部国文科３年

趣味はクトゥルフ神話ＴＲＰＧのシナリオや、小説を執筆すること。好きな作家は有栖川有栖、京極夏彦、夢枕獏。

題名から察することができるように、本作はシャーロック・ホームズシリーズの第一弾『緋色の研究』（A・コナン・ドイル、一八八七）をインスパイアした作品だ。どちらも同じ赤系統だが、緋色は『赤い血』を、朱色は『夕陽』を表している。

目の覚めるような夕焼け――燃えるようなオレンジを見たとき、あなたは何を思うだろうか。本作のヒロインである大学三年生・貴島朱美が思い出すのは、一度に両親を失った交通事故と、十五歳の時に目の当たりにした光景――放火によって焼け死んでいく伯父の姿である。朱美は過去のトラウマから「オレンジ色恐怖症」に陥り、火事の悪夢に魘されている。

「二年前の夏のことです。……私の知っている人が殺されたんです。犯人は、まだ捕まっていません」。燃えるような夕焼けの日、「臨床犯罪学者」火村英生は教え子の貴島朱美から、二年前の未解決殺人事件について捜査依頼を受けた。六月末、被害者である大野夕雨子は周《す》参見《さみ》の別荘近くの浜辺で、後頭部を鈍器で殴殺された状態で発見された。被害者と恋人関係にあった山内陽平が疑われたが、物的証拠がない上に、アリバイが成立したことで迷宮入り。遺体の背後にある高さ五メートルの崖から、大きな石が落とされていた点も捜査を難航させたという。

依頼を受けた火村は、当時の事件関係者に事情を聴取しに向かった。その足で友人である推理作家・有栖川有栖を訪ねた火村。翌朝、アリスの元へ不審な電話が入る。「今すぐにオランジェ夕陽丘の806号室に行け、と火村先生に伝えてくれればいい。そうだ、あなたも一緒に行ってもらおう」。そのマンションは前日、火村が事情聴取のために訪れた建物である。訝しがりながらも指定された806号室へ向かった二人は、浴室で絞殺された男性の遺体を発見する。被害者は二年前の大野夕雨子殺しの関係者・山内陽平だった。六年前の深夜の放火、二年前の大野夕雨子殺し、そして今回の山内陽平殺し。三件の事件の真相を、火村とアリスは紐解いていく。

本書には二人の人物の「孤独」が描かれている。貴島朱美にとって伯父夫婦である宗像家は、何不自由ない暮らしをさせてはくれても、危機に瀕した自分になりふり構わず手を伸ばしてくれるような存在ではない。手を差し伸べてくれる人、何があっても側にいてくれると確証が持てる人がいない彼女は、両親を失った日から拠り所がない孤独感に苛まれていた。

一方で火村が犯罪学者になった理由は「人を殺したいと思ったことがあるから」というショッキングなもので、朱美と同じように、悪夢に魘されるほどの深いトラウマを抱えている。朱美と異なるのは、アリスという理解者がいる点である。犯罪に関わる上で、火村が引きずり出したがっているのは真相ではない。彼自身の心の奥にある得体の知れないものだ――というのがアリスの見立てだ。「彼が淵で足を滑らせて向こう側に転落しそうになった時、私はその腕をつかんで引き戻してやりたい」と願い、アリスは手を差し伸べられる範囲にいることを選んだ。

孤独にどのように寄り添うのか。方法を間違えたときに待ち受けている悲劇が、この事件の真相を貫いている。最後まで読み、トリックが明らかになった時、主題が『夕陽』でなければならない理由がわかるだろう。

著者より

『朱色の研究』は一九九七年に書いた作品です。それを今も大学生の方が読んで、こんな丁寧な書評を書いていただけるとは、ありがたいことです。「ミステリとして、どんなトリックを盛り込もうか。どこで意外性を出そうか」というアイディア探しからスタートして書いたのですが、ミステリはパズルめいた〈謎解き〉が〈小説〉になって完成します。〈小説〉としての『朱色の研究』をどう読んだか、興味深く拝読しました。

実は、この作品は「出来がいい」とか「不出来」とかいうことから離れて、「好きだ」と言ってくださる方がいるようです。どこが琴線に触れるのだろう、と思うことがありました。もちろん、読者の数だけ多様な〈読み〉があり、作者は自分の〈小説〉を書いていけばいいのですが——。

宮下さんの書評を読んで、ちょっと判った気がしました。

（有栖川 有栖）

書評した本　　書評した人

『ジョーカー・ゲーム』

柳 広司著

文庫判・288頁・607円
KADOKAWA
978-4-04-382906-4

青山 朋香
あおやま ともか

共立女子大学
国際学部４年

大学では日本舞踊研究会に所属。日本の近現代史に大変興味を持っており、自作の旅のしおりと共に日本各地を旅しています。

本の街、神保町。そんな最高の立地にある大学に通う私は、いつからかこの街の大ファンになっていた。授業の空き時間で神保町を散策する贅沢を味わいながら、ふと目に入るのは、スクラッチタイルが印象的な老ビル「旧相互無尽会社ビルディング」。神保町好きの間でこう呼ばれるこのビルは、昭和五年に竣工し、現在は「神保町ビル別館」となってその存在を留めている。九〇年もの間、神保町を見守り続けたこのビルが取り壊される。突如貼られた解体工事のお知らせに、何とも言えない寂しさと、一冊の本が思い浮かんだ。それが、『ジョーカー・ゲーム』だ。

本書は、実写映画、アニメ、舞台と幅広く展開し、人気を博すスパイ・ミステリ作品である。時は第一次世界大戦と第二次世界大戦の狭間、世界情勢がくすぶる中の帝国日本。情報勤務要員養成所、つまり〝スパイ養成学校〟が舞台である。

本作では〝スパイ養成学校〟で訓練を受ける、通称〝D機関〟の学生が、恐ろしいほどの自負心と共に任務を遂行していく様が描かれる。

任務は五つ、神田、横浜、ロンドン、上海など、国内外問わず遂行される。詳細な時代背景や現場状況が描かれることで、読者はまるで自分がD機関の学生となったような感覚に陥る。時に憲兵を偽り、時に領事とチェスを指す。またある時は、スパイ・マスターと対峙し、偶然を装った罠にはまる。D機関員の息遣いが今にも聞こえてきそうだ。まさにミステリ小説の醍醐味であるだろう。

しかし本作は〝スパイ・ミステリ〟。読者はその世界に没頭すると同時に、はて、D機関員はどこにいるのか、という錯覚を起こすこともある。

「スパイとは、見えない存在だ。それが結城中佐の口癖だった」

文字通り、D機関員は時に読者の前からも姿を消す。これが本作最大の魅力であると私は考える。

「官姓名、さらには尋ねられればすらすらと口をついて出てくる経歴もまた、実際にはここに来た時に与えられた偽装の一つであった」

自らを見えない存在とし、他人を装う彼らを、私たちはどこまで信じてよいのだろうか。読者にはD機関員の情報を与えられることはない。いや、むしろD機関創設者の結城中佐以外に、彼らの真の姿を知る者など存在しないのだ。読者までを偽り、遂行される任務、そして結城中佐の過去とD機関の内情とは……。

本作は、『ダブル・ジョーカー』『パラダイス・ロスト』『ラスト・ワルツ』と続くシリーズである。

時代こそ違えど、作中には実在する地名や実在した人々が多く登場する。近現代史が好きな読者であれば、その虚実により想像が大いに掻き立てられるだろう。前述で紹介した、「旧相互無尽会社ビルディング」もそのひとつで、『ジョーカー・ゲーム』ファンの間で聖地巡礼地となっている。あくまで〝似ている〟に過ぎないのだが、読者はそのビルに機関員の面影を見ることができるのだ。

『ジョーカー・ゲーム』は本の中では終わらない。見えない存在を追って、その微かな面影を探しに行きたくなる、そんな一冊だ。

編集者より

本シリーズは累計一三〇万部を突破、今なお版を重ねています。各話の主人公は、戦時中とは思えぬ価値観を持ち、「怪物」とさえ称されるD機関員たち。クールな彼らが任務を完遂した折に、わずかに見せる感情。「読者の前から姿を消す」、そんな主人公にもかかわらず面影を追いたくなるのは、彼らの人間らしさ、本当の姿を知りたいからかもしれませんね。本書の魅力がたっぷり伝わる書評を、ありがとうございました。

（角川文庫編集部　岡田博幸）

書評した本

『カンガルー日和』

村上 春樹著

文庫判・252頁・583円
講談社
978-4-06-183858-1

書評した人

立原 愛里彩
たちはら ありあ

共立女子大学
国際学部3年

海外のニュースが日本では拡散されにくい状況に疑問を持ち、留学で知り合った友人たちと世界中のニュースを日本で拡散し疑問を投げかける学生マガジン発行を目指し活動しています。

本書に収められた十八の短篇は、どれも不思議な雰囲気を醸しつつ、同時に自分の身近で起きそうな、もしくは既に起きていそうな日常を感じさせる。私たち読者は一篇一篇読み進める度に、現実と非現実の絶妙な混ざり具合に惹きつけられる。

本書は例えば、家賃が安い、線路の間の三角地帯に住む夫婦の生活を書いた「チーズ・ケーキのような形をした僕の貧乏」、一年間毎日スパゲティーを茹で続ける男の孤独を書いた「スパゲティーの年に」など、「日常」の何気ない時間に詰まっている面白さに気が付ける作品集だ、と思う。いろいろな人のいろいろな人生の一部を垣間見、いろいろな「今」を旅した気持ちになる。今回は十八個の中から三つのおすすめの作品を紹介する。

まずは表題作の「カンガルー日和」。「日和」は晴れたいい天気のことで、「○○日和」は○○をするに相応しい日であることを意味する。行楽日和などと使われるが、「カンガルー日和」とは？　この物語に登場するカップルは「一ヵ月間、カンガルーの赤ん坊を見物するに相応しい朝の到来を待ち続けていた」。その日を待ち続け、やっと「我々は朝の六時に目覚め、窓のカーテンを開け、それがカンガルー日和であることを一瞬のうちに確認した」時には、カンガルーの赤ん坊は「もう赤ん坊じゃないみたい」に成長していた。しかし二人にとって、それはいい日になりそうだった。そもそも「相応しい」とは誰が決めるのだろうか。私はこの作品に、「日和」は誰かに決められるものではないというメッセージがあると思う。スケジュールに追われる毎日をふと見つめ直したくなった。

　二つ目は「４月のある晴れた朝に１００パーセントの女の子に出会うことについて」だ。この物語ではある男が自分にとって１００パーセントの、運命の女の子を見つけ彼女と話してみたいと願い、告白の科白を考える。しかし考えてみたところで女の子とはすでにすれ違っていてどんなに考えてもこの思いを伝えることは叶わず、「僕は彼女にそんな風に切り出してみるべきであったのだ」と思い返すしかできない。それにしても長い告白の科白だ。作品ほぼ丸ごと全てが、男のストーリー仕立ての告白なのである。はっきり言ってこんな告白をする男は厄介ではないだろうか。しかしチャンスを不意にした時こそ、アイデアが湧いてくるものかもしれないと思う。

　そして最後に短編集のラストを飾る「図書館奇譚」を紹介する。これは本を探しに来た少年が地下室に案内され、なんと一ヵ月の間、監禁されて分厚い本を丸暗記させられたあげく、知識が詰まった脳みそを吸われると告げられる。その後、彼はその牢屋からの脱出に成功するものの、日常に戻った後も「いったいどこまでが本当に起こったことなのか、僕にはわからない」と、図書館に行くことが出来なくなってしまう。私は、彼が図書館から遠のいてしまったのは、間違った読書法でトラウマを抱えたからだと思う。それは言うまでもなく「知識を詰め込むための読書」だ。知識を補うことだけが読書ではないと確信させられた。本は知識の宝庫であることは間違いないが、愉快な気持ちになったり不思議な気持ちになったり感情を動かされる本に出会うことこそが大切なのではないだろうか。本書は、そんなふうに様々な感情をもたせてくれる作品である。

書評した本　　書評した人

『女には向かない職業』

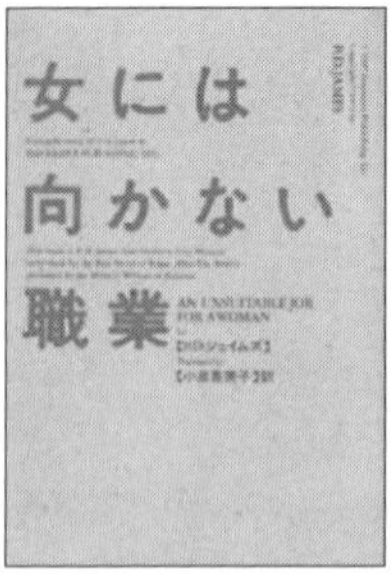

P・D・ジェイムズ著

文庫判・322頁・924円
早川書房
978-4-15-076601-6

村川 祐実子
むらかわ ゆみこ

城西大学
薬学部六年

本と漫画とバスケと創作が好き。たまにタロット占いをしている。国家試験に向けての勉強が辛くてしんどくて仕方ない。

私がこの本を初めて手に取ったのは中学生の時だった。本書の主人公は二十二歳の探偵だ。本書を改めて手に取った私は今年、大学を卒業する。

コーデリア・グレイが共同経営者のバーニイを自殺で失ったところから物語は始まる。彼女はバーニイが受けるはずだった依頼を、一人の探偵として調べることになる。残された車に乗り、バッグの底に彼の拳銃を忍ばせて。

原書の刊行は一九七二年、現在より半世紀ほど前になる。にもかかわらず、そして幸か不幸か、今の私はコーデリアに深く感情移入して読んだ。例えば表題にある様に、探偵という職業が「女には向かない」と直接、あるいは間接的に言われる場面では、進学や就職活動の折に、改めて性別について考えたことが思い出された。

実際、彼女は探偵という職業に向かないのだろうか？

コーデリア・グレイは聖女でも小間使いでも、リア王の三女でもない。バーニイの友情のために泣きはしても、一方では不謹慎にも（そして大いに共感できることだが）バーニイなしの初めての一人仕事に心踊らせるし、人並みに自己保身の面も見せる。フィクションにおいて、可憐なヒロインが魅力的なのはわかるが、私は彼女をそんなふうな型にはめて扱うべきではないと思う。作中で描かれる彼女は、過去の様々な名探偵のように特徴ある外見や、奇人あるいは天才的な個性の目立った存在ではないものの、真実に迫るのに必要な記憶力と思考に優れ、地道な調査をするだけの胆力があり、危機を乗り越えるだけの体力もある。だが作中で彼女を「若い女」扱いしない人間、あるいは探偵として軽んじない人間は一人もいない。基本的に優れた捜査官として描かれるダルグリッシュ警視も、コーデリアを「女の子」として捉えるし、亡くなったバーニイですら探偵事務所の看板のコーデリアの名前に、最初は「ミス」を付けようとした。

物語終盤、依頼を解決したコーデリアは、拳銃の無許可所持とは別に、ある犯罪に加担することになる。初めて本書を読んだ時は、コーデリアが何故、自ら進んで犯罪に加担するのか理解できなかった。今になってようやくその理由と動機が、自分なりに解釈できるようになった。

それは「頑固さ」だ。彼女はその頑なともいえるあり方でバーニイへの依頼を一人で受け、真相をしつこく探り、自分が周りからどう見られているのかも冷静に見据えながら、会ったこともないマーク・カレンダーの名誉とプライドを守った。たとえ自分のそこかしこが傷ついても、自分自身で決めたルールは最後まで意地でも曲げない。もし彼女が探偵に向いていないとすれば、世間の見做すように女だからではなく、その理由も彼女の頑なさによるものだろう。

そしてそんな潔癖で冷静で、自分がもつ数少ない弾をしっかり把握し、戦えるひたむきな意地をもつものが、当時も今も私が憧れる一人の人間、コーデリア・グレイに他ならない。（小泉喜美子訳）

編集者より

村川祐実子様、本書をお読みくださり誠にありがとうございました。『女には向かない職業』は、思いがけず人生の岐路に立たされたコーデリア・グレイという女性がどういう選択をして生きていくのかというのを描いた作品です。そんな本書を、人生の大きなターニングポイントである大学を卒業されるという時に改めて手に取ってくださったことをとても嬉しく思います。ぜひ、これからも折に触れて読み返してほしいと願います。

（早川書房　書籍編集部　井戸本幹也）

書評した本

『青い麦』

コレット著

文庫判・260 頁・325 円
集英社
978-4-08-760201-2

書評した人

渡部 里佳子
わたなべ りかこ

共立女子大学文芸学部
文芸学科日本文学コース３年

好きな雑誌は「ナショナルジオグラフィック」。将来は医療ライターになりたいです。

いつになったら大人になれるんだろう？

思春期を過ごして大人になることを焦らなかった人なんているのだろうか。幼いころは無邪気に、夢見た大人になれるものだとばかり考えていたが、中高生くらいになるとほんの少し具体的な将来像が見えてきて、自分が大学受験、大学生活、就職というお決まりのコースをなぞり始めていることに気づく。別段それに不満を感じているわけではなくても、まだ大人になりきれなくて、そのステップを上手に踏んでいくことができるかわからない、手探りでしか前に進むことができない自分の未熟さを腹立たしく感じる。好きな人がそばにいるときは殊更そうで、その人が自分の将来にも居続けることを信じて疑わないが、相手をまだ完全に手に入れていないことにより、一層そういった気持ちを掻き立てられる。この作品の主人公フィリップはまさにそのような、大人になれないことに焦る十六歳の少年だった。

フィリップと幼馴染のヴァンカは夏休みにブルターニュ海岸の別荘にやってきていた。子供のころから兄妹のように育ってきた二人だったが、それぞれが十六歳、十五歳になってお互いの恋心に気が付きはじめると、フィリップは彼女の今までと変わらない少年のような振る舞いと、ふと垣間見える女性らしさに揺さぶられるのだった。

いつも通りの日々を過ごしているなか、ある日彼は美しい年上の女性に道を聞かれ、その後偶然再会してから半ば無理やり誘われて体の関係を持ってしまう。ダルレイ夫人と呼ばれるその女性は彼に快感を教え、彼はその快感を得て子供でいることの焦燥感から解放されたけれども、同時に深く傷つき、今まで好きだったことに対して夢中になりきれない白けた気分が続いた。ヴァンカという存在がいるフィリップにとってダルレイ夫人は愛人に過ぎなかったが、彼女は彼の精神に深く食い込んだ。

そして、フィリップにとって特別な秘密だったこの快感を、のちに自ら否定することになる。ダルレイ夫人がフィリップの目の前から去ったあと、フィリップの不貞がヴァンカに知れ、二人は激しく言い争う。嫉妬をむき出しにして憤るヴァンカをフィリップは愛おしく思うが、フィリップがダルレイ夫人に与えられた快感を私だって知っていると言い張る彼女に不快感を隠せない。その日の晩、彼らは家を抜け出してそばがらの上で、不器用ながら愛し合った。フィリップは、ヴァンカが自分が初体験を済ましたときのように傷つくことを予想して、今まで通り過ごそうと慰めるつもりだった。けれどもヴァンカが歌いながら窓を開ける姿を見て、自分が彼女に与えた小さな苦痛と快感をかみしめるのだった。

作中ではフィリップの初体験が《くさび》という言葉で表されている。初体験を済ました日に打ち込んだ《くさび》を境として、生涯を振り返るであろうと。だが彼が打ち込んだ《くさび》は崖を登るための足掛かりになるようなものではなく、道標のようなものだった。私たちは初体験を済ましたその日からころりと大人になれるわけではない。あとから振り返ってそのたびに意味を持たせるのが《くさび》なのだとこの作品を読んで痛感させられた。（手塚伸一訳）

編集者より

コレットが『青い麦』を著したのは一九二三年、日本では関東大震災があった大正十二年のこと。渡部さんのように、一〇〇年近く経っても、自らの思春期に重ねて読める本作。その普遍性は、抽象ではなく、とことん書き込まれたディテールから生まれています。フィルとヴァンカが感じた温度や香り、鼓動が、多くの人の《くさび》になることを願っています。

（集英社文庫編集部　半澤雅弘）

書評した本

『子どもたちは夜と遊ぶ 上・下』

辻村 深月著

文庫判・㊤512頁㊦576頁・
㊤825円㊦880円　講談社
㊤978-4-06-276049-2
㊦978-4-06-276050-8

書評した人

佐藤 みゆ
さとう みゆ

二松学舎大学
文学部国文学科２年

『かがみの孤城』を読んで以来、辻村深月の大ファン。マイブームは焼いた鮭。

あなたは孤独ではないだろうか。

ある日、男子高校生が行方不明になった。そしてiと名乗る人物からθ（シータ）へ殺人を促すメッセージが残され、それを皮切りに不可解な見立て殺人が次々起きていく。

月子と浅葱が初めて出会ったシーンが印象的だ。

三日月の夜、月子は車に轢かれかけてパニックになっていた盲目の男性に手を差し伸べる。それを見た浅葱が月子に声をかけて話をしようと持ち掛けるのだが、月子の返答が彼女自身を物語っていたのでその会話をここで紹介したい。

「奢らせてくれない？　尤も、俺これから用事があるからそんなに時間もないんだけど。缶コーヒーでもどう？」と浅葱。

「いいよ。自分から誘っといて時間がないっていうところや、奢るのが屋外ってところなんか気に入った。奢ってくれる？」

月子は自信に溢れていて我が強い。そして常に自分の意志や感覚を大事にする。しかしそれは彼女の一面に過ぎず、繊細で傷付きやすいという面もある。私は月子のそんな個性が好きだ。

月子のみならず他の登場人物たちも一筋縄では描けないほど個性的で、互いの関係性も興味深い。浅葱と月子は、相手の持つ雰囲気が日常から浮いていると互いに感じている。勤勉で穏やかな狐塚と、遊び人で喧嘩も度々する恭司はその正反対さからか同居するほど仲が良いが、彼らの関係性はそれだけではない。秋山教授と真紀ちゃんは控えめで柔和だが、その実自分の手の届く範囲の外にいる人には淡白だ。

彼らはそれぞれに悩みがありながらも概ね平穏に生きているようだったが、この連続殺人事件に巻き込まれていくことになる。iとθは互いに「次のヒント」を示しながら、それに沿った殺人を行っていく。その「ヒント」の内容が、徐々に月子や狐塚の周囲へ近づいていく。そして物語の終盤は怒涛の展開を迎え、iの正体も明かされるのだが……。

本書を読み終えた私は、個性あふれる登場人物たちのその後に思いを馳せずにはいられなかった。そんな読者の期待に応えてくれるのが、我らが辻村深月さん。なんと、この作品の後に出版された『ぼくのメジャースプーン』や『名前探しの放課後』、『本日は大安なり』で、彼や彼女がひょっこり登場しているのだ。それらの作品を読んで胸がいっぱいになるのと同時に、iが出てくることのない事実に、胸が締め付けられた。

本書では、誤解が誤解を呼び、悲劇が引き起こされる。しかし結局のところ、誰の心にも潜んでいる影や危うさ、孤独が悲劇を起こした原因の核を担っていたように思えてならない。人間は、手の届くところに大切な人がいなければ歯止めがかからなくなる。何か取り返しのつかないことをしてしまいそうになった時に、そんなことをしたら大好きで大切なあの人が悲しむ、迷惑がかかる。だからやめよう。そう思える存在がいるということはとても重要なのではないだろうか。

θやiは互いにそのような関係性ではなかったし、残念ながら月子たちも彼らのストッパーにはなり得なかった。しかし、なり得る可能性も十分にあったのだ。少しタイミングが違っていれば悲劇は起きなかったような気さえする。何が明暗を分けてしまったのだろうか。

彼らは、他人に向ける愛や想いはとても深いが、自分に対しては自信がなく、自身を心から愛することも出来ない。だからどれだけ想われても大切にされても、孤独がつきまとう。そして、それゆえ自分が人から愛されていることにすら疑心暗鬼になってしまっていた。もし彼らが自分は愛されていると、孤独ではないと信じることが出来ていたら。初読から一年以上経つ今でも考えずにはいられない。

不器用に他人を愛し大事にするこの物語の登場人物たちが愛しくてならない。彼も彼女も、孤独の闇の中でなく幸せの光の中にいることを心から願う。

編集者より

「あなたじゃないとダメだ」そう思える人、自分のことを思ってくれる人の存在のありがたさ。佐藤さんの書評にある「孤独」の文字の意味に触れ、この物語が佐藤さんの奥深くまで届いているのがよく伝わってきます。しかも、初読から一年以上経っても思いを馳せてくれている！あなたのような読者がいてくれるなんて、こんなに嬉しいことはありません。この切なすぎる恋愛ミステリーが、さらに多くの方の心に残ることを祈っています。

（講談社　担当編集者）

書評した本

『となりのイスラム　世界の３人に１人がイスラム教徒になる時代』

内藤 正典著

四六判・256頁・1760円
ミシマ社
978-4-903908-78-6

書評した人

二宮《にのみや》 響子《きょうこ》

共立女子大学
国際学部２年

展覧会へ行ったことをきっかけに、木版画を始めました。今は葉書サイズですが、いずれは大きな作品に挑戦したいです。

イスラームを信仰する人々をムスリムという。彼らは、唯一神アッラーに全てを委ねる。特定の信仰を持つ人の多くない日本で暮らしていると、宗教と深く関わる機会は少ないかもしれない。しかし、イスラームを理解することは、多くのムスリム移民が暮らす現代日本にとって有益であることは疑いようがない。しかしながら、目につくのは、テロリズムなどの負の側面ばかりである。なぜ暴力による応酬が続くのかということにとどまらず、報道では目にすることの少ないイスラームやムスリム自身の性格を知りたいと思い、この本を手に取った。

長年、ムスリムや欧州に移住したムスリム移民と対話を重ねてきた著者は、彼らをこう捉える。「線引きをしない人々」であると。線引きをしないとはどういうことかを知るために、まず線を引くということについて考えたい。ムスリム移民の視点を通して西洋社会を見つめると、線を引くとはまさに、世俗主義を採用した西洋的近代化の歴史である。世俗主義とは、宗教と政治に線を引くことであり、それによって社会を進歩させてきたのだ。加えて、植民地に線を引き、緩やかな共同体であった地域を一方的に分断したのも西洋の歴史である。

現代社会の深刻な問題であるイスラム国。著者はこの組織を、「イスラムの病」であるとする。もともとは国境などなく、様々な宗教や民族が共に暮らしてきた中東・

イスラーム社会。そこに生きてきたムスリムの生活が、国境という線引きによって奪われてきたことで、この病が深刻化した。イスラム国は、独自の線引きによって、その主張に反する者全てを敵とみなす。そして、線の外側に対しては、非人道的な暴力に訴える。彼らは、線引きをしないイスラームの伝統に徹底的に反している。テロリズムとの戦いは、イスラームとの戦いではないのである。

それでは、線引きをしないムスリムとはどういった人々なのだろう。神と共に生きることこそが人生であると考えるムスリムは、全てを神に委ねる。これこそ、イスラムが世界に多くの信徒を持つ所以たる「救い」なのである。例えば、夫婦が子供を授かるか否か。こういったことも神に委ねられている。そのため、夫婦に子がいるかいないかによって、他人が評価をすることはない。子のいない夫婦がしばしば肩身の狭い思いをさせられる日本には、この様な考え方が参考になると著者は言う。本書の面白いところは、このように、日本人の視点を常に意識している点にある。友人との交流や研究を通してイスラームを体感してきた著者の体験談を読んでいると、物理的には遠いはずのムスリムの生活を垣間見ているように感じられる。

しかしながら、ムスリムという言葉で彼らを十把一絡げに定義してはならない。神の教えに忠実な人もいれば、ある部分では世俗化している人もいるからである。神と対峙するのはあくまで個人であり、他人に促されるべきことではない。つまり、線引きをしないのも、神に全てを委ねるがゆえなのである。

著者はまるで読者のとなりにいるかの様に語りかける。読者と自身の間に線引きをしないことで、線を引かないということを実践しているように思う。おそらく、ムスリムと非ムスリムを分けて考える必要はない。互いのあり方を、双方がそのまま認めれば良い。信仰や国籍に関係なく相手を尊重することこそ、線を引かないということなのだと思う。

著者より

プロの書き手による書評というものは、正鵠を射た一言で著者の意図を言い当てる。だが、私の場合、様々なエピソードを重ねながらイスラムという異文化を描き出そうとするので、それをどう伝えるかに神経を使う。二宮さんの書評は、そこに光を当ててくれた。「読者のとなりにいるかの様に語りかける」という一言は、隣人としてのムスリムに対する私の眼差しが、この本の読者にも投影されていたことを気づかせてくれたのである。

（内藤 正典）

書評した本　　書評した人

『FUZZY-TECHIE イノベーションを生み出す最強タッグ』

スコット・ハートリー著

四六判・384 頁・1980 円
東洋館出版社
978-4-491-03630-4

水落 星音
みずおち あかね

一橋大学大学院
社会学研究科修士２年

社会人類学を専攻し、占いを取りまく人々の言動や実践について研究中。語学が好き。

「小説や詩を読んだり、古代哲学の討論を読み返したり、フランス革命史、あるいは離島のコミュニティーの文化を研究しても、今日のようなハイテク主導経済でまともな職にはつけそうにないし、将来も真っ暗だ」

　これは二〇一四年に大きなインパクトをもたらした『ザ・セカンド・マシン・エイジ』の説く内容である。こう言われてしまうと、人類学専攻の大学院生としてはムッとする反面、多少の自覚もある。理系でないのに大学院へ行く意味はあるのか、という空気は日頃から感じているものだ。

　本書の著者は、そのような風潮に堂々と立ち向かっていく。「ファジー」とは「曖昧な奴ら」を意味するあだ名で文系の学生を指し、「テッキー」は工学やコンピューター・サイエンスを専攻する理系の学生を指す言葉だそうだ。本書では、イノベーションにおいて、理系のみならず、文系との融合がいかに重要であるか、取材と調査に基づく数多くの具体例と共に語られている。両者は、どちらが優位ということではなく、互いに必要不可欠な存在である。

　例えば、スティーブ・ジョブズは、デザインの人文学的側面を徹底的に掘り下げて、マッキントッシュの開発に活かし、ザッカーバーグは、心理学での学びをFacebookに活用した。また、Slackの創業者であるバターフィールドは、哲学から多くのことを学んだと語り、日産自動車では、自動運転車の開発に人類学の研究手法が用いられている。「ファジー」な教育を受けた人々が、技術の専門家が見逃していた諸問題に気づき、革新的なアイデアを持って、様々な分野をつなぎ解決していく。著者いわく、彼らがもつ批判的思考力、読解力、論理的分析力、論証力、そして論旨明快で人々を納得させるコミュニケーション力といったスキルは、社会で働くうえでの重要な基礎となる。

「テッキー」の分野の例として、プログラミングは、外国語と似たところがある。もちろんそのスキルを鍛え上げることは重要だが、それはアイデアを実現するためのツール的側面が強く、アイデアがなければ意味を成さない。伝えたいことがなければ外国語は使えないし、目的がなければコードを打つことはできない。一方で、たとえアイデアがあったとしても、実現する手段がなければそこで終わってしまう。「ファジー」と「テッキー」の思考の双方があってこそ、革新を生み出すことができる。

ただ、本書において気になるのは、「機械が人間の役割に取って代わるというよりは、機械が人間に良く奉仕する時代になりそうである」という言葉や、「機械は人間性への影響を常に配慮しながら発達する必要がある」といった文言である。

機械は、人間が管理し制御できるもの・していくべきものであると思われがちだが、果たして本当にそうだろうか。ある目的を持って作られた機械を、人間が使用することで、その作用が元々の目的とは違うものに変容することがある。その要因となるのは、人間が一方的に制御できるものではなく、機械や人間など様々なものの絡まり合いによって織りなされる相互作用だという議論がある。機械に対して、支配する／支配されるという二項のみで語りつくすことはできない。本書でも、理系と文系で対立するのではなく、両者の橋渡しが重要だと幾度も強調されている。我々は「ファジー」と「テッキー」の間の境界を、ファジーにしていく必要があるだろう。

（鈴木立哉訳）

編集者より

効率、生産性、実学、費用対効果、数値化、パターン化――はっ。水落さまのご指摘、使役に限らず、機械も含めた「様々なものの絡まり合い」による「相互作用」、本書には欠けている視座です。人気アニメの人型ロボットの繰り出す秘密道具は、むしろファジーな「人間味」をあぶりだす話が多かったこと思い出しました。ご指摘、ありがとうございます。「占い」は「人間味」の凝縮にも感じますが、否か。研究発表楽しみです。

（東洋館出版社　編集部　杉森尚貴）

書評した本　　書評した人

『魔法にかかった男』

ディーノ・ブッツァーティ 著

四六変・270頁・2420円
東宣出版
978-4-88588-094-0

齋藤 銀河
さいとう ぎんが

共立女子大学
家政学部3年

現在はＳＦや自然科学などのジャンルを好んで読んでいます。読書をすることで自分とかかわりがない分野の知識にも触れられるのが楽しいです。

夢は人の持つ無意識のイメージの現れなのだという。どこか突拍子のない展開でありながらも、納得してしまう。時にはそれに深い意味を見出すこともある。この二〇の作品を収めた短編集はまさに夢そのもののような本だと感じた。

表題作の「魔法にかかった男」は、成功し、妻子もあるにもかかわらず、どこか満たされないと感じているジュゼッペ・ガスパリという男が主人公である。ガスパリは休暇中に訪れた山間部で、ふとした拍子に子ども時代のみずみずしい感性を取り戻し、そこで出会った子どもたちとごっこ遊びに興じる。それを通して彼は自らの空想の世界に没入していき、やがて想像の敵やその攻撃は本物となり、彼を死に至らしめるまでになってしまう。しかし彼は、忘れていた本当の楽しさを思い出した、真に満たされた人として死を迎える。

なぜ、ガスパリがこのような感性を取り戻すことができたのか、詳しい説明は一つもなされず、まさに魔法にかけられたとしか思えない。しかし、読み手はそれに対して違和感を覚えることなく、そういうものだと読み進めることができる。むしろ、その世界観の曖昧さによって読み手はガスパリの心情の変化や、彼が取り戻した子どもらしさの神秘性に引き付けられる。そして、ガスパリに共感しうらやましく思う自分もまた、ガスパリのように満たされない人になっていたのだと感じ、愕然とする。

人は死んだらどこへ行くのかという素朴な疑問、未知のものに対して感じる漠然とした不安、自然に対して感じる美しさや畏敬の念、子どもだからこその感性や空想力は大人になるにつれてだんだんと奥の方へ押し込められていく。しかし、なくなってしまったわけではない。そういう無意識にしまい込まれていたものが、まるで物語の中で追体験するかのように鮮明に思い出され、欠けていた部分が満たされるような気持ちになる。

しかし、私たちが忘れているのはそういった美しい感情ばかりというわけではない。ローマでの巡礼で罪を清められることを期待し、様々な悪徳を積んできた神学士がついには烏《からす》にされてしまう「ヴァチカンの烏」、ある弁護士が一匹のハリネズミを遊びで撃ったことによりその一家が検事の家まで復讐に訪れる「巨《おお》きくなるハリネズミ」などは、人間が持つ利己的で残酷な面をありありと描き出す。そういった自身にとって都合の悪い事実から目を背け続けることが一体どのような恐ろしいことを引き起こすのか、読み手はこれらの物語に隠された警告を感じ取らないわけにはいかない。

この本は、リアリティばかりが重視される現代において、むしろ幻想的で曖昧な世界観によって、普段は意識することのない、人間らしい感情の尊さ、社会の不条理さ、人間の残酷さなどを読み手に鮮烈なイメージを持って示してくれる。普段から目に見えるものばかり信じ、そのためいわれようのない不安や空虚さを感じる現代社会の私たちに必要なのは無意識の奥底にある普遍的な「人間らしさ」を今一度見つめなおすことなのではないだろうか。この本はそれを暗に読者に問いかけているような気がした。（長野徹訳）

編集者より

イタリア幻想文学の旗手として名高いディーノ・ブッツァーティ。彼の小説は書かれてから半世紀以上が経っていますが、生の不条理、死、孤独、大災厄、科学技術の光と影、暴力や弱者への虐待をテーマにしたものが数多くあり、今の時代を生きる読者にこそ訴えるものがあるように思えます。齋藤さんの「私たちに必要なのは無意識の奥底にある普遍的な〈人間らしさ〉を今一度見つめなおすことではないか」は、心に響きます。

（東宣出版　津田啓行）

書評した本

『桜風堂ものがたり　上・下』

村山 早紀著

文庫判・㊤ 272 頁㊦ 256 頁・各 726 円　ＰＨＰ研究所
㊤ 978-4-569-76880-9
㊦ 978-4-569-76881-6

書評した人

岩崎 朱里
いわさき あかり

共立女子大学
文芸学部１年

読書やソーシャルゲーム、猫のグッズ収集が趣味です。最近は降りたことの無い駅で降りて、町を探検することがマイブームです。

奇跡とは何か。広辞苑によると「常識では考えられない、神秘的な出来事。既知の自然法則を超越した不思議な現象で、宗教的真理の徴とみなされるもの」とされている。つまるところそれは、通常の現実であれば起こりえないこと、と捉えてもいいだろう。

「田舎町の書店の心温まる奇跡」と本書の帯には書かれている。この奇跡は先に述べたような、通常の現実では起こりえないものだろうか。それは、少し違う気がする。

著者・村山早紀の他の作品には、神様や妖怪、魔法使いといった不思議な存在が多く登場する。彼らは、困難を抱えた優しい心根を持つ人間の為に、不思議な力を使い奇跡を起こす。そして恩恵を受けた人間達は、また前を向いて歩みを進める。しかしそれらの物語と、本書は少し毛色が異なるのだ。

本書の主人公は老舗の書店に勤める、人付き合いが少し苦手な青年、月原一整。彼は、隠れた名作を見つけ出すことから「宝探しの月原」と呼ばれている。彼は他の多くの作品の影に埋もれてしまうはずだった、新刊『四月の魚（ポワソンダブリル）』を見出し、この物語を多くの人に届けようとする。その中で、自身の過去に向き合っていく。一整は最初から桜風堂書店に勤めている訳ではない。彼が本を万引きした少年を追いかけている途中で、少年が事故にあってしまい、このことで世間から大きくバッシングを受けてしまう。その中、非難の矛先が彼の勤める書店にも向き始める。紙媒体の需要が下がり、書店が相次いで閉店していく現在。店に迷惑をかけない為に、彼は長年働いていた書店を辞めた。心身ともに疲弊し、人生に虚無感を抱くも、ふと以前からインターネット上で親しくしていた「桜風堂書店」の店主を思い出し、慰安旅行を兼ね、店主に会いに向かう。そこから彼と桜風堂書店の物語は始まるのである。

本書には一整だけでなく、彼を取り巻く他の書店員達の苦悩や、書店の現状も描かれている。私達が普段、何気なく訪れるその場所は、書店員達のたゆまぬ努力と本に対する深い愛情によって維持されていることを思い知らされた。本書は二〇一七年の本屋大賞の五位に入賞している。本屋大賞では書店員が売りたい本が選出される。本書に描かれる書店員達の苦悩は、全国の書店員達のリアルな声なのだろう。

登場人物は皆、大なり小なり傷や孤独、後悔を抱えている。けれども、その負っているものを理由に立ち止まることなく、日々生きている。また、全員が本を心から愛し、『四月の魚』を売ろうと懸命になっている。そんな共通点を持つ彼らを、同じく本を愛する著者が線で結ぶことによって、この本の奇跡は起こる。

本書には超自然的な存在は出てこない。いるのは、人と猫とオウムのみ。この奇跡は、優しい心根を持つ人の子達が、苦心しながらも手ずから作り上げた、汗臭い奇跡なのだ。そして、あとがきには「わたしはこの物語の中で、一応は、「絶対にありえないこと」は書いてはいませんし」と書かれている。常識ではありえないかもしれないけれど、起こるかもしれない奇跡の話。ぜひ一度、手に取って触れてみて欲しい。

著者より

岩崎さん、素敵なお勧めの文章をありがとうございました。また、わたしの書いた他の本たちのことも気に入って、いつも読んでいただけているのですね。感謝ばかりです。

この物語は、わたしが日頃からお世話になっている書店に勤めるひとびとの想いや、様々な願いをお客様の立場にいるひとたちにわかってもらえたら、という想いで書き上げました。書店を好きなひとでも、たとえばその一日の仕事の内容や大変さを知らないことも多く、それはわたし自身もそうでしたので、物語にしてみました。ちょうど、医療従事者が主人公のドラマを見て、視聴者がリアルでも彼らを尊敬し、応援したくなる、あんな感じで、頑張る書店員たちを熱くかっこよく書きたいと思いました。そしてこんな時代ですから、ひと匙の奇跡を。少しだけ、リアルな夢を混ぜ込みました。

わたしの想いをすくい取って読んでいただけて、とても嬉しかったです。

（村山 早紀）

書評した本

『海賊とよばれた男　上・下』

百田 尚樹著

文庫判・㊤480 頁㊦448 頁・
㊤880 円㊦902 円・講談社
㊤978-4-06-217564-7
㊦978-4-06-217565-4

書評した人

小松 真由香
こまつ まゆか

二松学舎大学
文学部国文科 1 年

茶道部と国語教育研究会所属。趣味は茶道と読書、様々な物語を空想すること。近頃は小中の学校ボランティアに励んでいる。

これ程までに胸の熱くなる小説があるだろうか。日本を良くしたい、人々の生活の支えになりたい。そんな情熱だけで国内外の多くの人々の心を動かし、破天荒な偉業を成し遂げた人物を、私は他に知らない。

この作品は完全なノンフィクションではないものの、出光興産の出光佐三氏をモデルとする、史実を下敷きにした小説だ。「日昇丸事件」等実際の出来事も多分に描かれており、嘗て終戦後の日本で起きた高度経済成長を支えた石油業界の千荊万棘な軌跡を知る事ができるだろう。

題名には「海賊」という単語が入っているが、舞台は敗戦後の日本。国岡商店の店長である国岡鐵造が日本の敗戦後、九十五歳でその生涯を閉じるまで、幾多の困難を乗り越え石油業界の波乱万丈の動乱を駆け抜けた生き様が綴られている。敗戦後、彼は千六名もの店員を誰一人として切り捨てることなく、己の財産を売り払って給料を払い、その生涯を終えるまで店員を家族のように大切にし続けた。そして、時には国内外の石油会社を敵に回してでも日本の未来を見据えた政策を選び、世界の石油会社とも戦い抜いて、成功を収めたのである。

ここまで聞くと、良心的な素晴らしい日本人の生き様を描いた作品のように思える。しかし、鐵造の振る舞いは生半可なものではなく時に狂気じみてさえいた。鐵造は誰もが不可能だと思うような絶体絶命の窮地に立たされても活路を見出し、また業績を疎まれ大きな組織が立ちふさがり行く手を阻む度、彼の真っ直ぐな志によって人々の心を動かして国岡商店を成功へと導いた。鐵造は、将来を見据えて為さなければならないことを正確に理解する洞察力だけでなく、時には強引に相手を説き伏せ、実行し成功させてしまうような強い影響力を併せ持っていたのだ。

そんな彼の性格が良く現れているエピソードがある。製油所の建設に際し、本来優に五年を要する工事を八か月で仕上げろとの命に、鐵造を支える店員達の誰もが不可能だと呆れ返っていた。しかし、工事は鐵造の頑な希望と有無を言わさぬ鼓舞によって異例の速さで進み、なんと本当に八か月で終了してしまったのである。工事に携わる関係者の都合を考えれば、とても信じ難い所業だ。

鐵造がこれ程までに製油所の建設を急いでいたのには訳がある。当時、石油の供給量や価格を操作する力を持った石油メジャーが虎視眈々と日本の石油市場を狙っており、石油を支配されることは日本の産業業界の従属を意味していた。鐵造には、そんな日本にとって重大な要である石油を一刻も早く直接精製・販売したいという思いがあったのだ。そして、そんな彼の想いは部下を超え多くの建設会社や土木会社までをも動かした。まさに、彼の性格は作品の題名を如実に表していると言えるだろう。

私は元来難しい話は苦手だ。この作品も『永遠のゼロ』と同じ著者だからと手に取ったに過ぎない。しかし、読み進める内にいつしか国岡鐵造という一人の男の強引でありつつも真っ直ぐな在り方、そして彼を慕い支え続けた店員達の生き様に引き込まれていった。下巻を読み終えた時の高揚感と、同じ日本人として生まれたことへ誇りを感じたことを、この小説を手に取る度に思い出すだろう。

著者より

国岡商店は現代の視点で見ればブラック企業のようにも見えるかもしれません。しかし決定的に違う点があります。それは社員たちが皆、喜んで仕事に取り組んでいたことです。それは自分たちの仕事が人々や社会の役に立つという喜びです。

本が売れない時代にあって本書は四〇〇万部以上のベストセラーを記録しました。その理由は、この本の書評をしてくれた人を初めとする多くの日本人が、労働の本当の喜びと価値を知っていたからだと思います。そのことに喜びを感じます。

（百田 尚樹）

書評した本

『アンマーとぼくら』

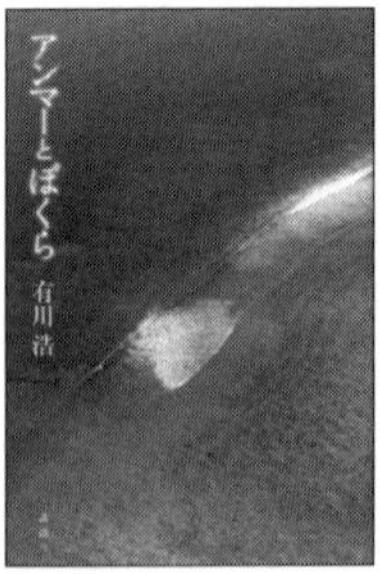

有川 浩著

四六判・306 頁・1650 円
講談社
978-4-06-220154-4

書評した人

中井《なかい》 香帆奈《かほな》

神戸松蔭女子学院大学
文学部２年

現在行っていることは、日本の語学・文学・文化やメディアについての勉強です。

価値観を変える本に出合いたい。旅行が出来ない時世なので、本で想像力を膨らませたいし、旅行の気分を味わいたい。これはそのような思いに答える本である。読めば、家族についての考え方が広がり、舞台となる沖縄を知ることが出来るだろう。

題名の「アンマー」は沖縄の方言で「お母さん」という意味である。主人公のリョウは実の母親を「お母さん」と呼び、新しい母親を「おかあさん」と呼ぶ。

リョウが五年生になる春休みに父親が突然リョウを沖縄に連れていき、再婚相手の「ハルコさん」を紹介する。実の「お母さん」が死んでまだ一年、北海道の家を売り、沖縄への移住を決めてしまう父。リョウが晴子さんにも沖縄にも、「アンチ」の思いを持つのは当然といえば当然だった。

本書では、「今」と子供時代の記憶が、混ざり合って記される。大人になったリョウはなぜか記憶が曖昧になっているが、久しぶりに沖縄を訪ね、休暇中のおかあさんと一緒に沖縄観光に出かける。

子供時代にも、写真家の父と観光ガイドの仕事をもつ晴子さんとリョウとで、沖縄観光に出かけている。いろいろな思い出が描かれるが、中でも家族でシーサーを作り、紅型を染める体験は、沖縄という土地柄と、家族団らんの両方が描かれ、この作品で大切な要素が詰め込まれていると思う。また父親が、道ばたのオジギソウを全て閉じていくという場面では、子供のような性格がよく分かった。このことを「絨毯爆撃」と表現していたのが面白かった。

そして、リョウが晴子さんを初めて「おかあさん」と呼ぶ場面は、考え抜かれていながらとても自然で、晴子さんを母親と認めていることを伝えようとしている勇気が見えた。また、リョウが自分の名前が書かれた父親からの手紙を見て号泣する場面も印象的だった。そのときの様子から、父親へのこれまでの気持ちが、一気に爆発していることが伝わってきた。

本書では、大人になったリョウが記憶を回想するだけでなく、タイムスリップめいたことをする。そして、母親と息子が沖縄を回想しながら観光するという、平和な物語だと思っていたところ、クライマックスで一変した。観光という現実的な出来事と、タイムスリップという非現実的な出来事が上手く混ぜ合わされて、リアリティのあるファンタジーとなっている。

「チンビン」「ポーポー」や「残波岬」「斎場御獄」など、沖縄の料理や場所の名前が出てくる。有名な食べ物や観光地も、知られていないようなものもでてくるので、沖縄に行ったことが無い人も行ったことがある人も、楽しめる。

ただリョウの視点から描かれているため、父や母たちについてはとてもよく描かれているのだが、リョウ自身の人間性を書いている部分が少なく、気になった。そして「リョウ」の本名は最後に明らかになる。

私はこれまで、母親に支えられていると感じることが多かった。この本を読んでから、父親も母親以上に自分を支えてくれていることに気づいた。家族の生活の分まで働いてくれている父親に感謝したくなった。

『アンマーとぼくら』は、沖縄の名所や名物を紹介しながら、家族の大切さを描き出す物語だ。ぜひ家族というものの温かさを感じてほしい。そして普段は見られない自分たちの家族の一面を捉えて、受け入れていけるといい。いつかは別れるときが来る母や父、兄弟との一瞬の思い出も大切にしていきたいと思う。

書評した本

『「家庭料理」という戦場 暮らしはデザインできるか？』

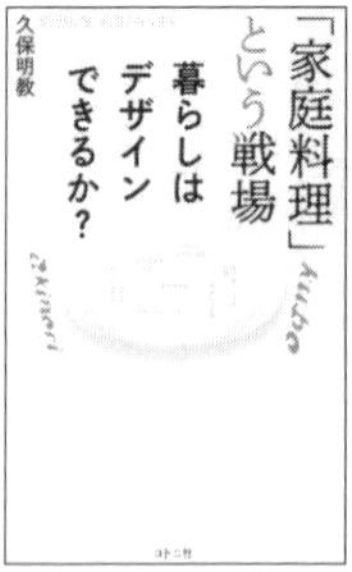

久保 明教著

四六変・216頁・2200円
コトニ社
978-4-910108-01-8

書評した人

角 佳音《すみ かのん》

上智大学文学部
新聞学科

「方言とアイデンティティ」をテーマに研究中。スペインでの留学経験から、日本とスペインを繋ぐコミュニティの運営に携わる。

「美味しいご飯が食べたい」、これが私の人生における最大の欲求であり、最重要事項である。しかし、冷静になってこの欲求に立ち返ってみると、一つの疑問が浮かぶ。「美味しいご飯」とは、一体何なのだろうか。その疑問の下、本書を手にとった。

「家庭料理」と聞いて、何を思い浮かべるだろう。肉じゃが、カレーライス、味噌汁……。実際のところ、これらのメニューは家に限らず、飲食店、スーパーやコンビニなど、様々な場所で食べられる。それにも関わらず、我々はまだ「家庭料理＝家で食べる手作りの料理」という幻想に囚われている。

本書では、社会の変遷と共に変化してきた家庭料理の現場に迫る。文化人類学の分野で活躍する著者の切り口から、家庭料理を取り巻く様相の変化と「家庭料理」と戦う消費者の姿が見えてくる。

本書において注目したい点は二つある。一つ目は、「時代の三区分」である。一九六〇～一九七〇年代――手作りの重視と食の簡易化という対極的な要素によって家庭料理が構築されたモダン期、一九八〇～一九九〇年代――構築された既存の家庭料理に対して、各々のアプローチで懐疑と改変に挑戦した小林カツ代と栗原はるみが登場するポストモダン期、二〇〇〇～二〇一〇年代――レシピの書き手と読み手の区別を弱めながら、「共有」をキーワードに二人の取り組みを進化させたノンモダン期。

著者は、生活史研究家の阿古真理氏の研究や、小林カツ代と栗原はるみの作品や発言を参照しつつ、各時代における家庭料理の在り方について論を展開する。これにより、それぞれの時代で完結していた営みが一つの流れとなって見え、家庭料理の変化を理解しやすくしてくれる。その一方で、このような変化に振り回されながらも自らのライフスタイルに合わせながら料理生活を営もうとする消費者たちの姿が自分自身と重なることもあるだろう。

二つ目の注目点は、一九八〇～一九九〇年代に活躍した二人の料理研究家、小林カツ代と栗原はるみの各アプローチを可視化した「レシピ対決五番勝負」である。この対決は本人らによるものではなく、著者が二人のレシピで調理した料理を四名の審査員が評価する企画である。この企画から、両者とも「家庭料理を脱構築した料理研究家」であるにも関わらず、そのアプローチには違いがあることを実感できる。定番料理を脱構築することで、手作りと手抜きの区別を無効化する「美味しい時短」を誕生させ、働く女性たちの味方となった小林カツ代。誰が作っても一定水準の美味しさが担保される計算高いレシピを用いて、彼女が演出する「ゆとりの空間」へと主婦らを誘うようなスタイルで人気を博した栗原はるみ。ここにおいて、二人のアプローチの違いに気が付けると同時に、正反対の二人の姿から、この時代に二極化した女性像――働く女性と専業主婦が見えてくる。

この二点を踏まえて現代に立ち返ると、変化が加速する時代において、女性に限らず、全ての消費者のライフスタイルは多様化しており、それと同時に家庭料理も広がりを見せている。そこから言えるのは、「家庭料理＝家で食べる手作りの料理」と一口に表せないのは勿論のこと、そもそも「家庭料理」を定義付けることも困難だということだ。しかし、だからこそ我々は、「食」という暮らしの要素と向き合い続けなければならない。家庭料理との戦いは続いてゆくのだ。

著者より

学問的分析が日々の暮らしによって規定されるのであれば、私たちは暮らしを外側から客観的に分析することなどできない。これが本書の基調にある発想です。時代の三区分やレシピ対決では、特定の仕方で関係をたどるとそれらしい見取り図が現れることを示しています。でも、別の仕方で関係をたどれば異なる風景が見えてくる。この本はそれを喚起するために書かれています。異なる暮らしが結びつき分析の境界条件を揺るがすために。

（久保 明教）

書評した本

『主よ、永遠の休息を』

誉田 哲也著

文庫判・432 頁・704 円
中央公論新社
978-4-12-206233-7

書評した人

榎本 圭扇
えのもと たまみ

二松学舎大学
文学部中国文学科３年

どうせ何事もいつか終わりが来るのならそれまでは精一杯楽しくおかしく生きたいと思います。趣味は睡眠、美味しい物を食べること。

正直、この作品の読後感は気持ちのいいものだとは言いがたい。他のミステリ作品よりずっと生々しく、普段は無意識に視界に入れないようにしていた現実の惨い事件の一連を見せられたかのように感じた。

また、この作者が『武士道シックスティーン』の作者でもあるという事実は、私にとっては大きな衝撃であった。あれほど爽快な作品とこの喉元に汚泥のへばりつくような悍ましさのある作品と、両方を書ける作者の柔軟な思考、感性には感嘆するものがあった。

物語の軸である「十四年前の事件」は加害者・稲垣満の機能不全とも捉えられる家庭環境にまず目が向けられる。現実にも耳にするような、劣悪な青年期と歪んだ性的嗜好、徐々にエスカレートしていく彼の行動と、それを止められないどころか暴力によって抵抗する気力を失って言いなりになってしまう家族。また被害者の少女の父親の思いや、親しい人たちの事件への反応、それに因って引き起こされた心理的苦痛の一つ一つが、体験していないにも関わらず理解できてしまうリアリティも、尾を引く読後感の理由の一つではないだろうか。

それらが複雑に絡み縺れた結果、甦ってしまった悪夢の続きは、あまりにも悲壮で残酷だ。十四年前の事件を切掛に、本やビデオなどの物が詰まった棚やテレビの液晶画面など、他人には理解されにくい苦手なものが多い芳賀桐江は、それでもなんとか自立した生活をし、父に心配をかけまいと懸命に生きていた。新聞記者である鶴田と、桐江父子とのやりとりは、事件を無事に解決し、円満に終わる結末すら夢見させた。しかし、十四年前の事件が被害者側にもたらした心理的苦痛と、稲垣の被害者への異常なまでの執着が混ざり合った結末は、あまりにも心が苦しいものだった。

それでもこの作品を取り上げようと思ったのは、事件へ至る心理のあまりのリアリティと、それに対する読者の不快感や嫌悪感が、現実の過去の事件を想起させ、風化させないことに繋がるのではないか、という「本の力」を感じたからだ。実際に私は読んでいる最中、私の育った地域の近くで起こり、未解決のまま時効を迎えた事件の、朧気な輪郭を隣に感じながらページを捲っていた。その時感じていたのは、この話がフィクションであることへの安堵と、同時に現実でも似通った事件は起こっていて、犯人不明のまま時効を迎えていることへの恐怖だった。

多くのミステリ作品では、被害者が周りの人間に救われ、一筋の光に縋るように明るい未来を夢見て、最終的には前を向いて生きていくという結末を迎えるが、果たして現実で、事件に巻き込まれた人間がそう簡単に未来を信じられるのだろうか？　起こった事件を消せはしないし、トラウマは繰り返し人生を蝕み、眠っている時や楽しく過ごしている時ですら、ふとした切掛によって頭の中全てを支配してしまう。

死ぬまで消えることのない深すぎる傷に、まだ二十代前半の桐江が咄嗟に下してしまった決断は確かに悲しく救いがないように思える。しかし、もし私がこんな悲惨な事件の当事者だったとしたら、桐江と同じ決断を下さないと言い切ることは出来ないし、桐江の行動を否定することなどとても出来ない。理不尽に人生を蹂躙された人間に「生きていたらいいことがある、何事も起こさず平凡に暮らせ」などというのは、あまりにも残酷な、周りの人間のエゴでしかないのではないだろうか。

私はこういった題材を嫌悪し、恐ろしいとはっきり口にしてくれるような人にこそ、この作品を知って欲しいとそう思う。

著者より

まず、拙著を実に丁寧に読み込んでくださっていることに驚きました。さらに、それをまとめる文章力にもう一度驚きました。大学生のとき、私はこんなに整った文章は書けませんでしたよ。バンドばかりやっていたので。

これは確かに嫌な話です。でもそれで終わったら「小説」ではないんですね。小なりとも「説」があるから「小説」。榎本さんはそれを直感的に理解していらっしゃるのでしょう。こういう若い方は、将来が楽しみですね。

（誉田 哲也）

書評した本　　書評した人

『暗いところで待ち合わせ』

乙 一著

文庫判・262 頁・545 円
幻冬舎
978-4-344-40214-0

大谷 美尋
おおたに みひろ

二松学舎大学
文学部国文学科３年

文章を音読することが得意で、プレゼンテーションが好きである。現在は、興味を引く発表方法を探している。

あなたにいじめられた経験はあるだろうか。例えば学生時代、心無い言葉が書かれた紙を背中に貼られただとか。ちょっとした悪戯のようなものでもやられた側にとっては立派ないじめとなる。気付かず過ごしている間、周囲の人間は、仲間内で指を差し笑っていることだろう。そうして指摘された時に、悪戯を行った人物と周囲で笑っていた人物の悪意を、不意に思い知る。自分だけが悪意に気付かず過ごしていたことに疎外感を覚えるだろう。本書に登場するミチルとアキヒロにも、高校時代に同じ経験があった。

印刷会社に勤めるアキヒロは、人間の隠された悪意に気付いた時から、集団で過ごす人々を否定するようになり、会社で孤立していた。彼は少し高慢なところがあり、他人との会話の中で価値観のズレを感じた時、自身の考えが侵食され破壊される思いになる。それならいっそのこと、人に関わらなければいいと考えた。外とのギャップに傷つかないように、唯一心を許せた家族とも距離を置くようになり、自分だけの世界に籠っていった。

ミチルも学生時代に不意打ちの悪意に晒された経験があったが、アキヒロとは違って悪意に怯えた彼女は、集団の中でストレスを抱えながら過ごすことを選んだ。しかし、大学生の時に事故によって視力を失い、不意打ちの悪意を怖れていたこともあり、人との関わりを絶ち、一人っきりの家に籠って生きていた。

アキヒロは自分を、ミチルは唯一の友人であるカズエを拠り所にして、暗いところに籠った。そんな二人が落ち合ったのは、職場の裏番長のような存在である松永トシオを駅のホームから突き落とし殺した嫌疑により、警察に追われる身になったアキヒロが、ミチルの家を潜伏先に選んだことがきっかけだった。ミチルは、食料の減りが異様に早いことや微かに感じる人の気配から、次第にアキヒロの存在に気づき始めるが、何もせず様子を見ることにした。アキヒロも息を潜めて過ごしていたが、悪意のない環境で共に過ごすうち、ミチルを身近に感じ始める。ミチルの身に危険が及びそうになると密かに助け、ミチルもともすると無視できるような曖昧な好意を示した。深く関わることはしなくても、ゆっくりと確かめ合うように順応していく。初めて言葉を交わしたのは、ミチルがそれまで怖れていた外出にアキヒロが付き添ったときだった。足元を何かが横切り、思わず正体を訪ねた彼女に、アキヒロは何の躊躇いもなく、ごく自然に「子供だよ」と答えた。二人の間には、悪意も押し付けの善意もなく、あるのは相手を気遣う気持ちだけだった。一方で、二人が出会うきっかけになった殺人事件もミチルを中心に結末へと向かっていく。

関わりのある相手は理解したい、と思うはずだ。それでも分かり合えないことがある。理解できない苦しみを消すために、自分とは違うと決めつけて排除しようとしてしまうのが、悪意の正体だと私は考える。もし、無駄な言葉や行動をなしにして、心だけで通じ合えるのであれば、こんなに素晴らしいことはないだろう。声も動きも見えない、暗いところで待ち合わせた二人の、言葉足らずだが温かい関係性に憧れる人は多いのではないだろうか。

書評した本　　書評した人

『ぼくはイエローでホワイトで、ちょっとブルー』

ブレイディ みかこ著

文庫判・332頁・693円
新潮社
978-4-10-101752-5

福留《ふくどめ》 舞《まい》

二松学舎大学
文学部国文学科１年

好きな作家は重松清。ペットの犬と過ごす時間が一番好き。今は漢字検定二級取得を目指して勉強中。

私たちは多様性を尊重する社会を生きているが、実際に他の人種や民族、肌の色が違う人たちが混在して暮らす地域のリアリティーを、どれだけ正確に把握しているだろう。今の時代は、インターネットで簡単に情報を入手することができる。しかしリアルとは、指先で網羅できるほど狭く浅くはないと思う。

本書は、イギリスで暮らす著者と彼女の息子（父はアイルランド人）の日常から、多様性やアイデンティティについて考えるノンフィクションである。本書の中で、息子が「多様性っていいことなんでしょ？」「じゃあ、どうして多様性があるとややこしくなるの」と著者に尋ねる場面がある。それに対して著者は、「多様性ってやつは物事をややこしくするし、喧嘩や衝突が絶えないし、そりゃないほうが楽よ」。だけど「多様性は、うんざりするほど大変だし、めんどくさいけど、無知を減らすからいいことなんだと母ちゃんは思う」と答える。

本書に描かれる息子の中学生活には、日本で暮らす私たちにとって新鮮かつ不意を突かれるエピソードが登場する。例えば下校時、息子が友人を待っていたら、知らない車が前に停まり、男が窓を開けて「ファッキン・チンク」と叫ぶ。あるいは、差別意識の強いダニエルという同級生が、黒人の少女に「ブラックのくせにダンスが下手なジャングルのモンキー」と陰口をたたき、それを聞いた息子は「彼はレイシストだ！」と激怒する。著者は「周囲にそういうこと（差別発言）を言っている人がいるからだろう」と考える。

常識や偏見とは、環境によって形成されるものだ。私たちが当たり前だと思っていることが、一歩外に出れば、当たり前でなくなることがある。そんな不安定な世界で、無知なまま固定観念にとらわれ続けることは、恐ろしいことだと思う。別の考え方があることを疑いもせずに、知らないうちに他人を傷つける恐れがあるからだ。

息子は学校の試験で「エンパシーとは何か」と問われ、「自分で誰かの靴を履いてみること」と答えている。これは「他人の立場に立ってみる」という意味の英語の定型表現だ。立場は存在する人間の数だけあるから、これを実践することは困難だ。でもこの意識を持っているか否かで、他人に対して敬意を持てるかどうかが変わってくる。些細なことであるとも思うが、自分とは違う人と接する上で重要である。

さらに、息子は己のアイデンティティについても考える。自分が暮らす地域では「ファッキン・チンク」と差別されることのある息子だが、日本に帰省すると、今度は日本語が話せないという理由から、日本人として見てもらえない。

私は日本人の父とフィリピン人の母を持つミックスだ。母とは物心つく前に別れてしまい、ずっと日本で育ってきたため、日本語に不自由はなく、言語の違いで差別的発言を受けたことはない。しかし、私はミックスであることに負い目を感じていた。父に「お前は日本人だ」と幼少の頃から言い聞かされてきたからだ。その影響で、私は他人に自分がミックスであると話すことが怖くなっていた。まるで自分が悪いことをしているような気持ちになっていた。「私は日本人だ」と思うようにしていたが、半分フィリピンの血が流れていることに変わりはなく、このギャップが中学時代の私の大きな悩みになった。

私はアイデンティティについて考える息子を、羨ましいと思った。私は悩みはしたが、息子のように多様性に関心を向けたり、アイデンティティについて真剣に考えたりはしなかったからだ。息子は「日本に行けば『ガイジン』って言われるし、こっちでは『チンク』とか言われるから、僕はどっちにも属さない。だから、僕のほうでもどこかに属している気持ちになれない」と言っている。私はどちらに属すかなど、考えたこともなかった。

「ぼくはイエローでホワイトで、ちょっとブルー」とは、息子がノートの隅に書きつけた文だ。イエローは日本人、ホワイトは白人。ブルーとは悲しみを示す表現であるが、息子は怒りと勘違いしていたと話す。このブルーが悲しみなのか怒りなのか、どちらの意味で息子が書いたのかは、最後まで分からない。

書評した本　　書評した人

『チーズはどこへ消えた？』

スペンサー・ジョンソン著

Ｂ６判・94 頁・922 円
扶桑社
978-4-594-03019-3

福井《ふくい》 未菜《みな》

甲南女子大学文学部
日本語日本文化学科２年

日本の言語や日本文学、日本語教育について学んでいる。本を読むことが好きで、大学在学中に様々なジャンルの本を読みたいと思っている。

「もし恐怖がなかったら、何をするだろう？」

この言葉に立ち止まった。人間は常に変化に対する恐怖と闘いながら、取り組む物事の取捨選択をしているのではないだろうか。しかし、自分自身が変化しなくても、社会や時代や環境が変わることもありえる。たとえば、新しいリーダーが決まったとき、そのグループに属する者は、多くの変化に直面するはずだ。リーダー自身も周りの人も、変化にいかに対処するかで、大きな違いが出る。前任のリーダーとの違い、グループ内での自身の立場の変化、周りとの関わり方の変化、そうした数々の変化の波にすぐに乗れる人と逆らう人の間で意見が合わず、場がぎくしゃくする。そんな場面を学生生活の中でも、経験したことがある人は多いのではないだろうか。

二〇二〇年で発売から二〇周年を迎えた本書は、世界的に有名なビジネス書として知られているが、社会人だけでなく、学生にも学べる点が多くあると感じた。私は、この作品と同じく二〇二〇年で二十歳になり、大人への第一歩として手に取ったが、ここから考えさせられることは多く、中学、高校時代に読んでおきたかった一冊だと感じた。

本書には、ネズミのスニッフとスカリー、小人のヘムとホーが登場する。ネズミのスニッフはいち早く変化をかぎつけ、チーズがなくなったことを受け入れる、スカリーはすぐさま行動を起こし、新しいチーズを探し始めた。状況が変わっても、自分たちもすぐに変化に対応できるタイプである。反対に、小人のヘムはチーズがなくなっていても、恐怖に怯えて、チーズがなくなったという変化を認めず流れに逆らってしまう、ホーはネズミたちに遅れながらも、チーズを探すため動き出し、うまく変化の波に乗ろうとする。

それぞれ考え方も行動も違うため、読者もそれぞれに、思い当たる点が見つかるだろう。私も彼らの行動を見て、感じたことが二つあった。

一つ目は、変化に早く気づき、対応することの大事さ。これは、普段から変化があることを想定し、素早く行動を起こしていたスニッフとスカリーから、気づくことができた。今まで、変化を認めれば、自分が安心できている現在よりも状況が好転するかもしれなくても、必ずしも良くなるかはわからない不確実な状況に飛び込むことを避けていた。私は恐怖を抱いていたのだ。

二つ目は、変化は想像するほど怖くはないこと。変化の波に乗ったホーが思ったこととして、「自分の中につくりあげている恐怖のほうが、現実よりずっとひどいのだ」という言葉がある。つまり想定しているのは最悪の事態であり、変化に対する恐怖心には根拠がない。想像の恐怖に囚われているよりも、変化に反応して引き出された現実の方が、よほどいいと気づけた。

想像の恐怖から抜け出すことによって私は、後悔のない学生生活を送るにはどうするべきかと、自分自身と向き合い、新たな一歩を踏み出す勇気が出た。たとえば、資格の勉強を始めたり、ボランティアに参加してみたり、大学の学生スタッフとして活動したりと、これまで失敗を恐れていた私が、あらゆることに挑戦してみようと、前向きになれた。そして何事にも積極的に取り組むことによって、成功や失敗に至る以前に、多くの人と出会い、貴重な経験ができていることを実感した。失敗を恐れていたときよりも、恐怖から抜け出した今の方が、視野も広がっているように感じられる。待ち受けている現実は決して怖くはないと、変化に対し恐怖を抱いていた頃の私に、そして変化を恐れているすべての人に伝えたい。

（門田美鈴訳）

編集者より

ジョンソン氏が本書にこめた思いをしっかり受け止められていて、うれしいかぎりです。本国アメリカではビジネス書として読まれていますが、寓話形式で書かれているため、読者がそれぞれの立場で受け止めることができます。福井さんも、これから社会に出られると、むずかしい状況に直面することもあるかもしれません。そんなときには、またこの本をひらいてみてください。またちがった知恵を得られるのではないかと思います。変化を楽しみましょう。

（扶桑社　出版局　冨田健太郎）

書評した本　　　書評した人

『多分そいつ、今ごろパフェとか食ってるよ。』

Ｊａｍ著

四六判・200頁・1210円
サンクチュアリ出版
978-4-8014-0053-5

磯部 春香
いそべ はるか

二松学舎大学
文学部国文学科３年

廃虚と日本文化に魅せられました。ソロキャンプはじめました。35kgのダイエットに成功しました。

「死にたい」などと思うことは甘えであり、薄っぺらな悲劇のヒロイン的な感傷、自己陶酔も良いところ……と、斜に構えていた。しかし最近「死にたい」と思う瞬間が度々ある。実際に自分がそのような心境に至ったからか、それは案外大仰な思考ではなく、誰でもふとした拍子に死にたくなることに気がついた。

自分の環境や立場から逃れられない、実生活上での人間関係が、原因のひとつである。さらにはＳＮＳが普及したことで、これまでならば積極的に繋がらなくてもすんだ誰かと、意に反して繋がらざるを得ない状況に陥ってしまうこと。ＳＮＳは情報収集や連絡手段として適度な距離感で付き合っていければ良いのだが、どうしても手放せず、依存気味の現代人は多い。ＳＮＳで見る他人の幸せが妬ましかったり、送られてくる理不尽な言葉に、遣り切れなさに苛まれたりもする。言葉の有する力は莫大であり、さらにＳＮＳによって、私個人の領域内へ容易に、時には土足で踏み込んでくる。

本書は、そのような現代社会の悩みを解決する一助となる、目から鱗の考え方・捉え方のヒントが詰まった、「心の取り扱いマニュアル」だ。当たり前だが、他人は自分の思い通りにはならない。相手を変えることはできないのだから、自分の心持ちを変えることで、心にゆとりを持つ方法を本書は提案してくれる。

本書はどこから読んでも構わない。「パフェねこ」の四コマ漫画と解説が見開き一頁で掲載され、一つの問題が解決する構成になっているからだ。

たとえば、「嫌な人のことをずっと考えてしまう」という小見出しの内容をみれば、「嫌な人のことを考えるのは、一緒に住んで家賃を払ってあげてるのと同じ」、「人の為に頑張っても感謝されない」なら「人に何かをする時は〝やってあげた〟ではなく〝やりたいからやった〟」、「人から褒められても、素直に受け取れない」なら「謙遜のしすぎは、〝お前は見る目がない〟と言ってるのと同じ」といった具合である。

私はＨＳＰ（Highly Sensitive Person を略した言葉。良くも悪くも感受性豊かで人一倍小さな刺激や変化に敏感。他人との境界線が薄い）であるため、特に対人関係において些細なことで思い悩み、すぐにぐったりと疲れてしまう。誰かの言葉を真に受け傷ついたり、自分と他人を比較して落ち込んだり……。本書は、日常にあふれており、しかしどうすることもできない他人との距離感のゆがみや価値観のずれを、やさしく且つ軽快に斬って、解してくれる。

私は中学時代に体型が理由でいじめを受けていたが、当時浴びた心無い言葉は今でも重暗くのしかかっている。「いじめた方は忘れても、いじめられた方は覚えている」という言葉はよく耳にするが全くその通りで、人は自分が傷つくことには敏感なのに、他人を傷つけることには鈍感である。自分が相手のことをあれこれ考えて悶々としているほど、相手は自分のことを考えている訳ではない。かつて私を苦しめた彼らは、自らの発した言葉などはとうに忘れ、のうのうとパフェでも食べているのだ。そう考えると、随分と心が軽くなった。

多くの人が経験し得るモヤモヤが扱われており、漫画と端的にまとめられた解説という構成であるため、読書に慣れていない人にも薦めたい。本書は、人のささいな言動を気にして悩み、気持ちの切り替えが苦手な不器用な人にとって、ただでさえ生き辛い複雑化した現代社会で、穏やかに日々を送る手蔓となってくれる。（名越康文監修）

書評した本　　書評した人

『食堂のおばちゃん』

山口 恵以子著

文庫判・222頁・660円
角川春樹事務所
978-4-7584-4056-1

森本 拓輝
もりもと ひろき

大阪国際大学人間科学部
心理コミュニケーション学科
2年

小説は通学時やアルバイト出勤時に読んでいる。映画やドラマ、ドキュメンタリーなどに関心がある。大学では、笑いと人生の充実度について研究したいと考えている。

本屋で、「食堂のおばちゃんをしながら小説の賞を受賞した人がいたな」と思い、出版社や著者名など分からずに文庫コーナーを歩き回って、本書を見つけた。『食堂のおばちゃん』、そのまんまのタイトルを発見した時は思わず笑ってしまった。

本書は日本のどこかに確かにあると思えるような日常を、丁寧に描いた作品だ。「私の近所にも、〝はじめ食堂〟のようなお店があったらな……」。この本を読み終わったら、きっとそう思うだろう。

はじめ食堂とは、この小説の舞台となる東京・佃島の大衆食堂である。昼は定食屋、夜は居酒屋として営業している。この店の切り盛りをするのが、主人公の二三（ふみ）と、その姑の一子（いちこ）。嫁と姑と聞くと、何かと言い争いが起き、仲が悪いイメージを抱く人もいるかもしれないが、二人はとても仲が良い。二人三脚で食堂を切り盛りする以前から、妙に気が合っていたらしい。それぞれ夫をはやく亡くす中で店を守ってきた、二人の波乱万丈の人生が、仲のよさを支えているかもしれない。

昼は、日替わりなどの定食を求めて、近所の会社員、OLでにぎわう。お昼時が過ぎると常連客がやってくる。夜も常連客でにぎわう。仕入れ先の酒屋の二代目の康平や、魚屋の主人だが卵料理が大好きな山手などが、毎日のようにカウンターで、酒と、おばちゃんが作る「ナスの揚げ浸し」など旬の食材を使った酒の肴を楽しむ。が、料理がおいしいだけで、毎日のように通うわけではない。おばちゃんや常連客たちと話がしたくて集まっているのだ。家族とも友人とも違う、信頼しているおばちゃんと会話を弾ませることが、一日の疲れを癒して、明日の活力へと繋がっている。常連客だけでなく、新規のお客さんも、愛の込もったおばちゃんの料理を食べ終え、店を出る時には、入ってきた時より心が軽く笑顔になっている。

この一冊には全五話が収録されているが、私が特に気に入っているのが第二話「おかあさんの白和え」だ。その冒頭で日替わり定食のメイン「鰯のカレー揚げ」を仕込む描写は、丁寧で味付けが想像でき、お腹が空いてくる。この話には、二三の幼少期からデパートに就職し、はじめ食堂と出会い、現在に至るまでが描かれている。白和えは二三が最初に、はじめ食堂に入った時の小鉢。すりごまがたっぷり入った白和えは、亡き母のものと味がそっくりで泣きそうになる。はじめ食堂の白和えには、あるこだわりがある。

このシリーズでは、著者が元食堂のおばちゃんであるためか、献立の決め方や食材のこだわり、調理方法などが丁寧に描かれている。読むと、筆者の私も、料理に挑戦してみたくなった。巻末には小説に登場した料理のレシピが掲載されている。完成した料理写真やイラストは無く、小説と淡々と記されたレシピに想像力を掻き立てられて、自分好みに作ってみる。これは、心温まる食堂の話を楽しみ、登場した料理を実際に作ることが出来る、一冊で二度おいしい本なのだ。ちなみに先ほど紹介した「白和え」も掲載されている。私も挑戦していまや我が家の定番メニューになっている。

とはいえ、同年代の大学生にとっては、直接的に勉強になる、知識が増える本とはいえない。ただ普段本を読まない人も、気軽に手に取って楽しめる一冊だ。

私たちが思い描く理想の日常が、はじめ食堂にはあると思う。それぞれの客の健康や好き嫌い、好みを把握して料理を提供する。さらに一日の出来事や日頃の悩みを分かち合えることで、自身が悩んでいることや落ち込んでいることが自然に明確になる。私たちは家族とも友人とも違うゆるやかな関係性で築かれる、心身共にやすらげる場所を求めているのではないか。読み終えた私は、少し幸せな気持ちになりながら、そう考えた。

著者より

心温まる読書感想文をありがとうございました。

私の読者は中高年女性が多いので、大学生男子の森本さんに気に入っていただけたのは望外の幸せです。ご自身でレシピを活用して下さっているのも嬉しい限りです。料理男子、万歳！

「一冊で二度おいしい」も最高！「食堂のおばちゃん」シリーズのキャッチコピーに使わせて下さいね。

（山口 恵以子）

書評した本

『檸 檬』

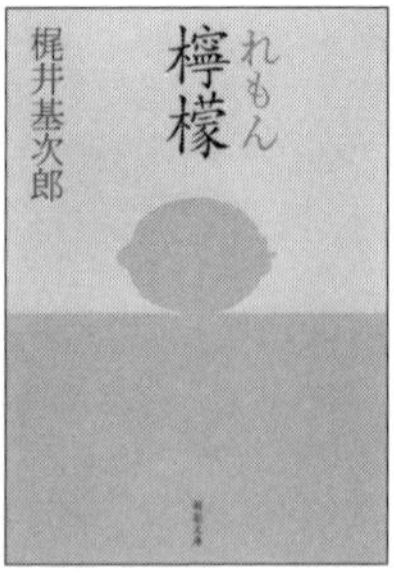

梶井 基次郎著

文庫判・350 頁・473 円
新潮社
978-4-10-109601-8

書評した人

長谷川 綾香
はせがわ あやか

共立女子短期大学
日本文学・表現コース 1 年

趣味は読書、詩や短歌の創作。最近は日本近代の風景画鑑賞に興味を持ち始めた。東山魁夷の画集を見ることがマイブーム。

弾けた檸檬に爽快感を覚えた時に、私は梶井基次郎の作品に興味を持った。

「檸檬」は梶井作品の中でも有名なものだ。高校2年生の私は現代文の教科書に収録された聞き覚えのある題名が気になり、読んでみた。序盤に出てくる、主人公が強くひきつけられる「見すぼらしくて美しいもの」の描写や、びいどろのおはじきを嘗めてみるときの「幽かな涼しい味」に思いを巡らせる。「見すぼらしくて美しいもの」という言葉に、私は廃墟を思い浮かべた。私は廃墟の写真集を五冊持っているほどには、廃墟を見ることが好きだ。特に、廃教会の剥がれ落ちた壁画や枠だけのステンドグラスには退廃的な美を感じていた。梶井が表現したかった「見すぼらしくて美しいもの」は私が好きなものと通ずるところがあるのではないかと思うのだ。

鬱屈とした雰囲気で作品が進んでいく中、あの場面が出てくる。書店・丸善で積み重ねた本の上に確かな冷たさと重さを持った檸檬を置いて出ていくというものだ。主人公のように檸檬が爆弾として弾ける様子を想像してみた。粉葉みじんになった建物に飛び散った檸檬は、鮮やかで目が覚めるような黄色の香りをふり撒いているだろう。主人公の日々の重苦しさを象徴する建物を、幸福な気持ちを与えてくれる檸檬で吹き飛ばす様子は非常に清々しい。その爽快さが読み終わった瞬間に眼前に広がるような気がして、私は梶井の別の作品も読みたくなった。

この短編集には、表題作「檸檬」のほかに、「城のある町にて」「ある心の風景」「Kの昇天」「桜の樹の下には」「器楽的幻覚」「冬の蠅」「愛撫」など二〇の短編が収録されている。中でも私が好きな作品は「蒼穹」だ。「蒼穹」は特に短い作品である。晩春の午後に「私」は村の街道に沿った土堤から景色を眺めている。そこには雲や野山、渓が広がっていた。静かで雄大な自然の様子が緻密に美しく描写され、文章を追っていく筆者も自然の風景に圧倒されるような心地になっていった。その風景から「私」はある闇夜を思い出す。闇夜に明かりを持たない人影が次第に闇の中に見えなくなっていく際、「私」が感じたのは「云い知れぬ恐怖と情熱」だった。「私」はその記憶が心をかすめた時に、「雲が湧き立っては消えていく空のなかにあったものは」虚無だと悟る。眼前に広がる自然の雄大さから、「私」は大きな不幸と虚無を感じたのだ。自然の描写と爽やかで晴れ渡るような風景が「虚無」を導き出す。短いページの中で「私」の感性が鮮明に表現されていて好きな作品だ。

梶井作品にはどこか退廃的でありながらも爽快さを感じさせられる。一見相反したような表現は、梶井が持つ独自の感性の表れなのだろう。梶井作品を読めば、実生活で見落としがちな「見すぼらしくて美しいもの」を再確認できるのではないかと思う。梶井基次郎の感性に寄り添えたなら、何か一つこの世界で愛せるものが増えているかもしれない。

編集者より

梶井基次郎のいう「見すぼらしくて美しいもの」に、長谷川さんが共感を覚えてくださったことをうれしく思います。読書は、作家と読者の対話。「檸檬」をはじめとした、本書に収められている短編には、作者である梶井基次郎のさまざまな「感性」が織り込まれています。一年後、五年後、十年後、どうか繰り返し本書を開いてみてください。きっと、前に読んだときには気がつかなかった発見、作者への共感があるはずです。

（新潮文庫編集部　久保真司）

書評した本

『また、同じ夢を見ていた』

住野 よる著

文庫判・304頁・723円
双葉社
978-4-575-52125-2

書評した人

小松 直人《こまつ なおと》
城西大学経済学部３年

大学図書館で学生アドバイザーという学内活動のリーダーを務めています。趣味は読書で、ミステリー小説を中心に様々なジャンルの小説を読んでいます。

私は本書に人生を変えられた。

私が本書に出会ったのは、たまたま友達から映画に誘われ、たまたまその映画の原作者の小説を読んでみようと思い、たまたま本書を手に取った、という偶然が積み重なった結果だ。当時大学一年生だった私は、本というものに触れず、小説と縁のない人生を送っていた。しかし本書を読んで以来、小説の面白さや奥深さに引き付けられ、どっぷりとその世界にはまっていった。この先も私は小説と共に人生を過ごすことになると思う。おそらくあの時手に取った作品が本書でなければ、今のような人生はなかっただろう。

ここまで書くのに、「人生」という言葉を度々使用したが、本書は「人生とは○○みたいなものよ」が口癖の小学生、奈ノ花が、「幸せとは何か」を探す物語だ。奈ノ花は大人ぶっていて小生意気な性格だが、とても真っ直ぐな女の子である。ある日、奈ノ花は国語の授業で「幸せとは何か」を考えることになる。人生経験が浅く、自分の考えに納得できない奈ノ花は、ひょんなことから出会う、三人の人物にアドバイスをもらいながら「幸せとは何か」を考えていく。

この三人は、皆とても魅力的で、個性溢れる人物である。腕に何本も切り傷がある、文学好きな高校生の南さん。賢くて綺麗で「季節を売る」仕事をしている、かっこいい女性のアバズレさん。山の一軒家に住んでいる、お菓子を焼くのが上手なおばあちゃん。

南さんの腕に何本も切り傷があることや「アバズレさん」という名前から読み取れるように、三人の人生は順風満帆というわけではない。奈ノ花とのやりとりの中で、三人が見出すもの、そして「幸せとは何か」を考えるのに、どのようなヒントを与え、アドバイスをするのか、そこが本書の見どころになっている。

奈ノ花は「幸せとは何か」を探す中で、急な仕事で約束を破ってしまう両親やいくじなしと思っているクラスメイトのことを、事情が分からないながらも理解しようと努力する。しかし理解しようとする中で傷ついてしまい、誰とも関わらずに生きていこうと考える。この考えを聞いたアバズレさんが、誰とも関わらないことは間違いを教えてくれる人がいなくなることだ、と自分の経験から奈ノ花に間違いであると諭す。この出来事が奈ノ花の「幸せとは何か」に大きく関わっていく。

私も子供の頃、良くも悪くも純粋だった。自分の気持ちに「素直」で、好きなことには嬉々として積極的に取り組み、嫌いなことには嫌な顔をしながら渋々取り組んだ。しかし二〇年以上の時間を過ごし、人生経験という名の混濁した出来事の積み重ねによって、自分の「素直」がどこにあるか分からなくなってしまった。そして「素直」が分からなくなったことにより、自分の本当の「幸せ」を見失ってしまった。

そんな時に本書を読み、奈ノ花のように真剣に考え、悩み、躓く中でしか得られないものもあると思った。今はまだ「幸せとは何か」について明確な答えが出せないが、これから出会う人や出来事に真剣に向き合っていけば、きっといつか自分の「幸せ」を見つけることができると、現在は考えている。

このように、この作品の魅力は年代問わず、自分の「幸せ」を考えさせてくれるところにある。高校生の方は南さん、社会人の方はアバズレさん、のように、自分と近い年代の登場人物に自分を重ね合わせて読むことで、より深くこの作品を楽しむことができると思う。ぜひ一度、本書を読み、自分の「幸せ」を見つめてみてほしい。

著者より

『また、同じ夢を見ていた』を取り上げてくださりありがとうございます。このお話を書いてから七年が経ちました。年代を問わず幸せについて考えさせてくれる、と書いていただきましたが、作者にとってもこの本は流れる時間の中でいつも「幸せとはなんなのか」を問いかけてくれる本である気がしています。時間の経過によって誰しもが色んなものにまみれていくと思いますが、そのどこかに隠れている自分の幸せを見つける手がかりに、この本が少しでもなればこんなに嬉しいことはありません。

（住野 よる）

書評した本　　書評した人

『推し、燃ゆ』

宇佐見 りん著

四六判・128頁・1540円
河出書房新社
978-4-309-02916-0

畠山 夏海
はたけやま なつみ

帝京大学
文学部史学科２年

野球オタク歴12年。毎年シーズンオフは専ら無趣味を嘆いていたが、昨年お笑い芸人の「すゑひろがりず」にハマり、無趣味生活から脱却。今後は二足の草鞋を履くことを決意。

　一昔前までは、暗く陰鬱なイメージを持たれていたオタク文化は、今では「ジャニオタ」や「ドルオタ」、「オタ活」、「推し」という言葉が普及するほど世間一般に浸透している。オタクを一言で表わすなら「猪突猛進」である。自分が「好き」と思ったら、自分を取り巻く視野と世界が一気に推し中心になってしまう。そして推しを神仏の如く「尊い」と拝み、「お布施」「貢ぎ物」と称して、グッズやチケットを購入するのだ。

　本書は、そんな「猪突猛進」なオタクが主人公の物語である。主人公・あかりの「推し」が暴力沙汰を起こし、炎上する場面から物語は始まる。「炎上」と聞くと、マイナスの感情が湧きがちだ。実際、「推し」から離れる人が出、人気も落ちていった。しかし、あかりの思いは、周囲が「推し」を貶めても変わらずに、物語が進んでいくごとに寧ろヒートアップしていく。つまり「応援」から「依存」になるのだ。あかりは脇目も振らずただ世界軸を推し中心に生きていく。そして、推しがアイドルを辞めることになると、それまでギリギリ保ってきた日常生活や学業が疎かになり、「推し」のためのお金を稼ぐために頑張っていたバイトも無断欠勤し、その結果、家族仲も悪化してしまう。

自分も根っからのオタクである。アイドルではないが、プロ野球オタクで西武とベイスターズを応援している。正月は年に三回やってくる（元旦、二月のキャンプイン、三月の開幕戦）。

作中の主人公とはジャンルが違えど、オタク的思考はかなり当てはまる。例えば、「かわいい」という言葉をオタクは多用するが、作中でこのように表現している。「どんなときでも推しはかわいい。甘めな感じのフリルとかリボンとかピンク色とか、そういうものに対するかわいい、とは違う。（中略）どちらかと言えば、からす、なぜ鳴くの、からすはやまに、かわいい七つの子があるからよ、の歌にあるような『かわいい』だと思う。守ってあげたくなる、切なくなるような『かわいい』は最強で、推しがこれから何をしてどうなっても消えることはないだろうと思う」。まさにオタクが抱く膨大で抽象的な感情を繊細且つ的確に表現している、私の好きな場面である。主人公に共感しながら読んでいくと、ある考えに辿り着いた。

オタクとは「滑稽」だ。この主人公の思考、行動は恐らくこの世に生きるオタクなら誰しもが共感でき、第三者目線から自分を見ているような感覚を味わえる。「尊い」「貢ぐ」という仰々しい言葉を使い、勝手に人を神格化する。他人のことに一喜一憂できる謎の心の余裕。顔も知らぬ同志のコミュニティで盛り上がる。そして、声を枯らし、笑い、時には涙し、必死に応援する姿はとても見られたものではない。

しかし、全身全霊で推しに愛を注ぎ、応援に打ち込むことが、趣味を超えて生きる意味を作り出す。ファン個人への見返りはなく、一方通行でも存在だけで救われる。友達や親でもない、特別な距離感を持った存在としての推しはオタクの心を支え、動かし、時に破滅をもたらすのだ。オタクという生き物の猪突猛進且つ繊細な心情、そして推しに対する強い思いを是非自分と照らし合わせながら読んでみてほしい。

書評した本

『たやすみなさい』

岡野 大嗣著

四六変・144頁・2200円
書肆侃侃房
978-4-86385-380-5

書評した人

中村 怜奈
なかむら れな

筑波大学情報学群
知識情報・図書館学類1年

2年前から現代短歌に興味を持っている。好きな歌人は岡野大嗣と木下龍也。ポストカードを集めるのが好き。好きな絵本は、ショーン・タンの「ロスト・シング」。

本書は現代歌人の岡野大嗣による歌集である。いつか、どこかで、誰もが経験したことのある風景や記憶が繊細な言葉で表現され、私たちに忘れていた何かを思い出させてくれる。どこか懐かしく、けれども、もう戻ってはこないその日々に寂しさを感じずにはいられない。

この本の魅力は岡野による新鮮な言葉選びのように感じる。たとえば、「**あれは赤い観覧車ではなく観覧車が赤く深呼吸をしているんだ**」や「**ひやごはんをおちゃわんにぼそっとよそうようにわたしをふとんによそう**」といった短歌がある。観覧車の深呼吸や、ふとんによそう、という表現は聞きなれないが、なぜか耳に心地いい。

またこの本のタイトルである「たやすみなさい」は岡野による造語だが、どういう意味なのかと疑問に思うだろう。この本を読んだ人にだけ通じる秘密の合言葉のようで、私は大好きだ。視覚や音で楽しませてくれる岡野の作品は、私の中の短歌という概念を新しいものに塗り替えてくれた。

ドーナツの○からのぞくドーナツの○からぼくをのぞくきみの目

この短歌は漢字の丸ではなく、○を使っており、視覚的な表現と繰り返しの表現でドーナツだけだった視点が、ぼく、きみへと視点がうつりその場面を描写している。

同じように、同じ言葉を繰りかえす短歌がある。

ねむくなるとねむいにおいになる犬のねむいにおいを

かぎながらねる

早口言葉のように、ねむいという単語が続くこの短歌は、声に出して読みたい一首だ。お互いがお互いで暖をとりながら眠りにつく、そんな温かい情景が浮かぶ。

そして、「ゲオ」や「ミスド」といった固有名詞、通称を用い、具体性を持たせた短歌も、魅力の一つだと思う。具体性を帯びた短歌は、想像しやすく、自分の記憶とリンクしやすい。まるで、自分の記憶が表現され、自分の短歌のような錯覚を覚える。

バスってば窓ばっかりで明るさも暗さも真に受けるのがいいね

読者に語りかけているような会話調の短歌も多い。誰もが一度は乗ったり見たりしたことのある「バス」を用いたこの一首はこの短歌の情景だけでなく、バスに関する記憶も思い起こさせる。私も夜バスに乗ったとき、外は真っ暗で何も見えないが、バスの中は明るくて外からはバスの中が見えてしまう、そのどうしようもない不条理さを感じたことを思い出した。

私がこの本に出会ったのは二年前、福岡にある「本のあるところ　ajiro」だった。ただただ、三十一音の物語に、三十一音で切り取られた一瞬に、その世界に、何とも言えない懐かしさを感じた。将来の不安、自分の無力さに苦しんでいた受験期の自分に、あたたかい飲み物を飲んだ時のようなじんわりとしたあたたかさを身体の芯から与えてくれた。世紀の大発見をしたような胸の高鳴りと、この本を抱きしめたくなるような優しさと愛しさを今でも忘れられない。

私がこの本を薦めたいのは、忘れていた一瞬を、感情を、そっと掬い上げてくれる優しさがあるからだ。コロナ禍で、漠然とした不安や苦しさを感じている人は多いだろう。私も時々、鬱屈とした感情に陥ってしまう。そんなときに読んでみる。日常に少し新鮮さを与えてくれる岡野の歌集は、読むと世界が優しくなるし、世界に優しくなれるだろう。コロナ禍の世界も悪くない。

著者より

心が弱っているときにも聴けて、安眠の助けになる。聴こうとしなくてもすっと入ってきて、呼吸を落ち着かせてくれる。そんな音楽のように、『たやすみなさい』は、活字がしんどいときにも開いてもらえる本になればいいなと思っていた。だから、さまざまな不安に苛まれる受験期に、中村さんが「あたたかい飲み物を飲んだ時のようなじんわりとしたあたたかさ」を覚えるようにこの本をハグしてくれていたことがとてもうれしい。

（岡野 大嗣）

第2部

添削例

●書評した本
パドリック・レドモンド著『霊応ゲーム』
●書評した人
波多野 早紀（東京大学文学部3年）

イギリス・ノーフォークにあるパブリックスクール、カークストン・アベイ校。本書は、かつてこの閉鎖的な空間で起こった、ある「悲劇」についての物語である。

主人公のジョナサンは、アベイ校にはめずらしく公立校の出身である。①彼は何かにつけて周囲のクラスメイトや教師に馬鹿にされ、いじめられる日々を送っていた。一方、ジョナサンのクラスには皆が一目置く孤高の少年がいた。彼の名はリチャード。一見なんのつ②ながりもない二人だが、何の因果か、③ある日の授業をきっかけにすこしずつ距離を縮めるようになる。これが全ての悲劇の始まりであった。

つるみはじめたばかりのころ二人の間にあったのは単純で少年らしい友情であった。しかし、ジョナサンを伴った④夏休みの帰省中、リチャードは⑤自宅であるものを発見する。あるもの――一枚の⑥ウィジャ・ボード――と、それを用いた「ゲーム」が、この物語に少し

編集部コメント

①少しニュアンスが違うように感じます。ジョナサンがいじめられっこだというよりは、何らかのきっかけを得ては、いじめを行う生徒がいる（ジョナサン以外にもやられた生徒が多数いる）。先生の中にもジョナサンを目の敵にする人がいる、というところでしょうか。表現を工夫してみてください。
②「共通点」などの方が言葉としてぴったりくる気がします。
③悪くないですが、もっと具体的に書いてもいいです。
④本では「中間休暇」となっています。
⑤字数に限りはありますが、細かいところを忠実に書くことで、本の内容がより伝わります。「大伯母の衣装箱の中に」などとしてはどうでしょうか。

ずつ影を落としてゆく。作中で「ゲーム」とは一体何であるのかが描かれることはほとんどない。けれども、その得体の知れないお遊びが、じわじわと物語に不穏な空気をもたらしてゆくのである。

また、リチャードがジョナサンに向ける感情が、次第に極端な方向へ向かう。ジョナサンをいじめっ子から守ってやろうという友情は形を変えて大げさな庇護心になり、束縛に転じ、いびつな執着心が醸成されてゆく。だが、ジョナサンはしばらく気づかない。読んでいるこちらが心配でそわそわしてしまう。

そのうち、いじめに加担した生徒が様々な理由で学校を去ってゆく。初めのうちはラグビー中の事故による入院、急な転校など、傍目からは全て偶然が重なっただけのように見える。リチャードはそれらに関して、一切直接的な手出しをしていない。他者をそそのかしたり、何らかの根回しをしたりして相手を陥れるような場面も全く描かれていない。しかし、着実にジョナサンに仇をなす人物が校内から姿を消していくのである。怖気付くジョナサンとは対照的に、リチャードは全てを心得たような様子である。それが不可解であり、不気味でさえある。⑦この先リチャードがどんどん不穏に、さらに狂気じみてくる様子からは目を離せない。

やがて、ジョナサンに関わる全ての者がリチャードの敵意の対象

⑥作中、ほとんど「ウィジャ盤」と表記されていますが、最初に登場したときの漢字表記が、このボードがどういうものなのか、その性格を伝えるように思いますので、「霊応盤《ウィジャ》」とするのはどうですか。「ウィジャ盤」という言葉を調べれば、降霊術につかうものだと分かりますが、言葉を知らない人にも短い書評の中でよりよく伝わるように、表記も考えて書くといいですね。

⑦→「物語が進むにつれ」などが分かりやすいか。

となる。彼らは⑧本人にしか知り得ない⑨ような後ろ暗い過去を以て⑩何者かに脅迫され、少しずつ正気を失い始める。そうして校内が少しずつ狂気に侵食されてゆく過程には、また例の「ゲーム」の影がちらちらと見え隠れする。

一体「ゲーム」とは何なのか。リチャードは⑪一体いかにしてこの全てを操っているのか。いや、そもそも全てを操っているのはリチャードその人なのか。読者の疑問を抱えたまま、物語は、破滅的な終局へと突き進んでゆく。

精神的に未熟な少年たちの愛憎、教師たちの後ろ暗い過去、そして校内を支配する得体のしれない何かの意志。そして、ウィジャ盤……一見関係のなさそうな事象が少しずつ悲劇的な形で結びつき、ショッキングなラストへと展開する。本書は、読み進めるごとに不穏さが増幅し、謎が深まりつづける。なにかに憑りつかれたような読書体験がしたい方に、まさにお勧めの一冊である。

▼**最終稿は12頁をご覧ください。**

⑧細かいところですが、本人以外の人も少数含まれるので、厳密にいうとすれば「当事者しか」の方がいいかと。

⑨ここまでに「ように」「ような」が複数出てくるので、削れるところは削ると、文章がしまると思います。

⑩ここは好みかもしれませんが、どんな脅迫なのか、「メモや電話などで「知っている」と匂わされ」というようなニュアンスが伝わるとよいのでは、と思いました。

⑪→トル 「一体」が重なっているので。

POINT

全体によく書けていたと思いますが、この書評は、大きく分けると、概要がほとんどを占めます（その中に読みどころを波多野さんの視点で入れてくれているので、これはこれでよいと思うのですが）。
最後の二文を、もう少し膨らませてもらえれば、より読みごたえが増すと思います。なぜこんなにもこの本の不穏さに引き付けられてしまうのか、ここに描かれた人々から何を感じることができたかなど、思うことを、加えて書いてもらえないでしょうか。

●書評した本
綿矢りさ著『憤死』
●書評した人
関谷 春香（二松学舎大学文学部3年）

小学生くらいまで、テレビのインタビューなどで、①カッコ20というテロップを見ては強烈な憧憬を抱いていた。当時の私にとって、オトナは絶対的権力で、偉くて、強くて、正しい存在であった。そして、自分もいずれはそうなれるんだと盲信していたから、早くオトナになりたくてたまらなかったのだ。しかし、成長するにつれて、オトナは決して完璧ではないことに気付く。どんなオトナも弱いところがあるし、間違えることだってある。子どもには想像つかない闇を抱えていたりもするのだ②。

③綿矢りさ『憤死』は、4篇からなる短編集で、語り手が子どもの時の記憶を思い出し、大人になった現在と関連付けるという構成だ。④4篇は⑤「子どもから見たオトナ」と「実際のオトナ」のギャップがテーマだが、それぞれ異なる味わいで、読者を飽きさせない。

1篇目の「おとな」では、語り手が自身の最古の夢を語る⑥のだが、その内容が、近所の夫婦に預けられた時に二人に布団の中で裸で挟⑦

編集部コメント

①→（20）という年齢を示すテロップなど、少し説明があると分かりやすいです。

②→トル
「のだ」が続くので。語尾のバランスを考えると、読みやすい文章になります。

③→本書
書評としてこの本を取り上げることは分かっているので、著者名、タイトルなどは重ねないようにします。

④→どの作品も
その前に「4篇からなる短編集」とあるので、「どの作品も」とすると、本書に通底するテーマとして強調されるのではないでしょうか。

⑤面白い視点で本書を捉えていると思います。関谷さんの名鑑賞ではないでしょうか。「テーマの一つだと筆者（←関谷さんのこと）は読んだが」などとすると明確になると思いました。

まれるという、なんとも奇妙なものである。語り手は「なぜそんな夢を見たのだろうか」と疑問に思うのだが、ふと気が付くのだ。⑧歳だった私が「あんな夢見られるわけがない」と。子どもだって馬鹿ではないから〝分かりやすく〟怪しい人には近づかない。しかし、悪意を巧妙に隠して善人面したオトナまで見破れるだろうか。結末部の「彼らはいつも笑顔だった」という一文が印象的である。

罪や悩みを打ち明ける側と聞く側、大人と子ども、どちらが優位に立っているかという問いに、大抵の人は、「そりゃあ聞く側や大人が優位なんじゃない？」と答えるのではないか。2篇目の「トイレの懺悔室」は、⑨そういった力関係の脆弱さを描いている。罪や悩みを聞く側も大人も、無意識のうちに〝聞いてあげている〟〝相手を制御できている〟という優位性を持っている。⑩しかし、それらが理解できない範疇になってしまったらどうだろう。崩れていく〝当たり前〟の力関係に、読了後はなんとも言えぬ後味の悪さが残る。

大人になると、子どものときのように怒りを表現することが難しくなる。泣き叫んで、暴れて、何かに当たりたくなっても、理性が邪魔をしてしまうからだ。しかし、「憤死」の佳穂は違う。子どものときの激しい怒りのパワーを失わない。佳穂は、長年付き合った恋人に納得いかない理由で振られて、ベランダから飛び降りた。悲

⑥「だが」が一つ前の文にもあるのと、本来の逆説の意味合いは薄いので、ここでは削除したい。「語る。」といったん文を切ってしまっては？

⑦→はさまれる
概要を記す際には、なるべく書評した本と同じ表記を選ぶといいです。

⑧→「五歳だった私が、あんな夢を見られるわけがない」
というように引用として引いてしまった方がいいですね。その場合、一字一句違えずに引いてください。

⑨厳密にいうと「描いている」といえるのは作家だけかなと思うので「～が読み取れる」と、関谷さんの立場からいう方がよいように思います。指摘自体はいいと思います。

⑩ここは少し、言葉が足りない印象です。確かに「理解できない範疇」になって制御を失うのですが、なぜそんなことになるのか、なぜ力関係は脆弱なのか、その人間心理の思った以上の深さみたいなものを、もう少し掘り下げられたら面白いように思いました。

⑪関谷さんは爽快さを感じたんですね。一般的にいうところの爽快な物語ではないので、それでも爽快に感じられる理由を

しかったのではない。彼女は「怒りにまかせて、軽々と自分の命に八つ当たりした」のだ。我慢が求められるオトナの世界で、確かにぶっ飛んではいるけれど、感情のままに行動する彼女の生き様に憧れを持つ人も多いのではないか。

「人生ゲーム」はラストを飾るのにふさわしい、⑪爽快感のある物語である。人生ゲームはルーレットを回して出た数で未来が決まってしまう「運ゲー」であるが、本物の人生だって同じことが言える。病気だったり、会社の倒産だったり、本人の意志ではどうにもならない不幸が訪れることもあるのだ。そんな時、人は何に救いを求めるのだろうか。「話を聞いてやる。いくらでも、何時間でも」——本当に困った時、人はただ話を聞いてもらうことを求めるのかもしれない。

濃密な4篇が味わえる『憤死』は、オトナに憧れを持つ中学生から、かつてを懐かしむ中高年まで、幅広い年齢の読者が楽しめる一冊になっている。

●⑫少し字数制限をオーバーしてしまっているので、削ったほうが良い部分などをご指導いただけると大変助かります。

▼**最終稿は58頁をご覧ください。**

もう少し説明できるといいのではないでしょうか。

⑫短篇集の場合、全部を取り上げずに、たとえば今回なら2篇を取り上げて、掘り下げるという方法があります。あるいは緩急つけて、長く取り上げるものと短く取り上げるものを分けるとか。今回4篇取り上げているのを2篇にするのはもったいないので、中の一つ～二つを短く取り上げることにしてはどうでしょうか。

POINT

全体によく書けていたと思います。関谷さんなりの解釈も効いていますし、言葉づかいも確かでした。
その上で、今回の書評は一つ一つの作品ごとの批評があるのでいいといえばいいのですが、欲をいうと、最後の2行（本書全体の結末）部分を、もう少し膨らませることができたらよかった気もしています。字数の問題もありますが、合わせて考えてみてください。

●書評した本
内藤 正典著『となりのイスラム』
●書評した人
二宮 響子（共立女子大学国際学部2年）

①日本人にとってイスラムは遠い存在である。あるいは、危険な宗教として距離をとっているのかもしれない。しかし、イスラムをよく知らない私たちの、戒律主義とか男性優位とかいう印象に信憑性はあるのか、疑ってみる必要がある。立ち止まって考えてみれば、偏向な宗教が世界に10億人を超える信徒を持つまでに成長することはない。この事実は、著者の言葉を借りるまでもないだろう。長年ムスリムと対話を重ねてきた著者は、ムスリムをこう捉える。「線引きをしない人々」であると。本書では、非ムスリムの立場からムスリムや彼らを取り巻く環境を研究し続ける著者が、イスラムの真髄を捉えるべく試行錯誤したその足跡を窺い知ることができる。

ヨーロッパの国々へ渡ったムスリム移民の視点を通して西洋社会を見つめると、「線を引く」とはまさに西洋的近代化の歴史であると言える。キリスト教世界は、近代化の象徴として世俗主義を採用した。②つまり、宗教と政治に線を引くことで社会を進歩させてきた。

編集部コメント

①「日本人にとって」というような、大きな主語で語ることには配慮が必要です。確かにイスラムは遠い存在だと感じている日本人は多いと思いますが、それを日本人全員にとってのことであるとまとめ上げてしまっていいのか。それでは西洋の考え方と同様に線を引くことになってしまいませんか？　たとえば、「私にとってイスラムは遠い存在であった」などと自分ごととして語る方がよいのではないか、と思います。これ以降の部分でも、「大きな主語」で決めつけてしまっていないか、気を付けてもらえればと思います。

②少し言葉が足りないでしょうか。〈世俗主義とは、宗教と政治に線を引くことであり、それによって社会を進歩させてきたのだ〉とか。

一方イスラムにとっては、神と共に生きることこそが自由③である。両者は主義が根本から異なっているのである。しかし④、西洋社会はそのことを理解しない。イスラムと西洋の対立が深まる中、母国か⑤ら離れ西洋諸国にも馴染めなかった彼ら⑥は、出身や国境で線を引かないイスラムに救いを求めた。ここで⑦留意したいのは、イスラム側にも責任があるという事である。イスラム国家がムスリムの安心を保証するのならば、異なる主張に対して暴力に訴える組織は誕生し得ないからである。

　イスラムにとって神の下では皆平等である。そのため、弱い者を助ける仕組みが制度的にも精神的にも整っている。イスラムでは一夫多妻が認められている。制度上は男性優位を窺わせるが、本質は真逆とも言える。イスラムが誕生した争いの多い頃に遡り、戦いで夫を亡くした寡婦やその子供の生活を守るため、男性は四人まで妻を持つことが許されたのである。置かれた立場によって線引きをさせないシステムが千年以上前から受け継がれている。イスラムでは子供を授かるか否かも神に委ねられている。そのため、夫婦に子がいるかいないかを他人が線引きすることはない。しばしば子のいない夫婦が肩身の狭い思いを強いられる日本には、この様な精神が参考になると著者は言う。⑧

③「自由」がピンとこないように感じられ、「重要」などとしてはどうかと思いましたが、いかがでしょうか。
④トル
⑤→母国から離れ、辿り着いた西洋諸国〜とした方が分かりよいかも。
⑥イスラムだった者が、イスラムに救いを求めた、という文脈が、一行の中で短縮され過ぎていて伝わりにくいので、「彼ら」が指すものを明確にし、さらに少し言葉を足した方がいいと思います。
⑦これも急展開すぎる気がします。何に対するどんな責任なのか、書かれていませんね。その後に「暴力に訴える組織」とありますが、ここまでイスラムの話をしてきたのに、急にイスラム国、テロリズムの話が来てしまっています。ここをまぜこぜにしてしまうと、イスラムとイスラム国がイコールだと考える間違った捉え方に通じてしまうと思います。イスラムというものに誤解を生じてしまわないように、丁寧に説明を試みてもらえればと思います。
⑧本書の概要にあたる部分ですが、本書は内容が濃密なだけに、まだ全容が摑めていないかなと感じます。もう少し大きな流れや、章立てを合わせて記すことで、

ムスリムの視点で社会を見ると、自分が西洋的価値観に強く影響されていることや日本人特有の考え方がある事に気が付く。普遍的であると思っていたことは、誰にでも当てはまるものではない。本書を読んでなんだか少し自由になった気がするのは、既存の考えに必ずしも従う必要はないということを教えてくれたからである。著⑨者はまるで読者のとなりにいるかの様に語りかける。著者もまた、自身と読者に線を引かないのである。イスラムを敵とみなす西洋的価値観をなぞれば、国際社会とイスラムの関係はますます悪化してゆく。彼らとそれほど深い関係になかった日本は、これからの道を選択することができる。西洋とは違った角度からイスラムを見つめることもできるのである。今あるイメージだけで線を引かず、まずはこちらから一歩、近づいてみるのはどうだろう。

本書にはどのようなことが書かれているのか、未読の読者に伝えてください。目次を改めて見てください。全く触れられていない部分が多くありませんか？　概要がしっかりまとめられると、一つ前のコメントで書いた、イスラムの捉え方の誤解もなくなると思います。概要をまとめるのはなかなか骨が折れると思いますが、がんばってみてください。

⑨「読者のとなりにいるかの様に語りかける」というのは、いい批評だと思います。ただ「自身と読者に線を引かない」というのはもう一言、表現を工夫するとよいかもしれません。

▼最終稿は74頁をご覧ください。

▼最終稿は74頁をご覧ください。

POINT

ムスリムは「線引きをしない人々」である、というところにこの書評の核となる部分をおいて書き進めていった、この視点はとてもいいと思います。ただ、この書評のはじめの方に書いていたように、「イスラムをよく知らない」人が多いという前提にたって、もう少し丁寧に、まずはイスラムとは何か、という部分を概要としてまとめてもらえたら、と思います。

●書評した本
ブレイディ みかこ著『ぼくはイエローでホワイトで、ちょっとブルー』
●書評した人
福留 舞（二松学舎大学文学部国文学科1年）

①皆さんは、多様性について、どういったイメージを持っていますか？
この本の中では、多様性は「めんどくさいもの」と語られています。あると衝突を生むし、喧嘩も絶えないからです。しかし、②「なければ無知になる。めんどうだけど、無知を減らすためにはいいと思う」とも書かれていました。

たしかに、私たちは③多様性を目指す世の中を生きていますが、実際に他の人種や民族、黒人や白人、それらが混在して暮らす地域のリアリティーを、どれだけ正確に把握しているのでしょうか？ ニュースの他にも、今の時代でしたらインターネットで簡単に検索をかけて情報を入手することができます。しかし、リアルとは指先で知ることができるほど狭く浅くはないと思います。

編集部コメント

①弁論ではないので、見えない読者への問題提起から書き起こすのはやや違和感がありました。自分がなぜこの本を手に取ったのか、というような視点から書き起こすと、いい導入になるのではないでしょうか。また、「ですます」調が悪いわけではありませんが、「である」調の方がより一般的です。
②括弧をうまく使えるといいですね。引用文は「 」で括りますが、その場合一字一句変えずに引かねばなりません。引用ではなく、文章を凝縮して伝える場合には、表現を書き換えることになりますが、ほとんど本文と変わらないならば、そのまま引用して「 」に括った方が、的確に伝えることができます。
③「多様性を目指す」という表現が気になります。この本の内容に即すと、「目指す」というよりは、現実として世の中は多様なもので、それをどう受け取ることができるか、ということではないかと思いました。言い換えるとたとえば、「多様性が取り沙汰されることが多い世の中」とか「多様性を重視する世の中」とかでしょうか？ 考えてみてください。

この本は、④イギリスで暮らしながら実際に人種差別を目の当たりにしている著者と彼女の息子の日常から、多様性や己の⑤アイデンティティーについて考える、ノンフィクション本となっています。彼女たちの日常からは、日本で暮らす私たちにとっては新鮮かつ不意を突かれるような⑥物語が多く登場します。

著者の息子は、⑦様々な人種が多く在籍している元底辺中学校に通っています。息子の同級生の1人に、人種差別意識の高い美少年が登場します。息子から彼の話を聞いた著者はこう考えます。

⑧「身近に差別発言をしている人がいるんじゃないの？」

常識や偏見とは、環境によって形成されるものです。私たちが無意識に当たり前だと思っていることも、一歩外に出れば当たり前ではなくなってしまいます。⑨そんな不安定な世界で、無知かつ固定観念にとらわれ続けることはとても恐ろしいことだと思います。本書には「自分で誰かの靴を履いてみること」という言葉が登場します。⑩誰かの立場に立ってみる、という意味です。⑪立場とは、存在する人間の数だけあるわけですから、これを実践す

④著者が日本人であり、息子が白人と日本人のミックスであることは、この書評のはじめの方に書いておいた方がいいです（ただ表現が難しいので、「父はアイルランド人」と加えるかたちでどうでしょうか）。それから、ここで「人種差別を目の当たりにしている」とだけ書いてしまうと、一面的になってしまう感じがしました。この本は、差別のことが書かれているけれど、差別についての本ではなく、福留さんが書いているように、多様性とアイデンティティを考える方に重きがあるのでは、と思うので、ここではとりあえずカットして、続く概要にゆだねては、と思います。

⑤本に出て来た単語の表記は、なるべく本に準拠するとよいので、「アイデンティティ」とします（以下同）。「アイデンティティー」ではなく「アイデンティティ」とします（以下同）。

⑥→エピソード　など。

⑦これは本の内容からズレるのではないか。日本に比べたら「様々な人種」と感じられますが、書かれていたのは、これまで通っていた「カトリック系小学校」には様々な人種がいたけれど、中学に入ったらほとんど白人なので、最初は少し心配をするという内容です。

また「元底辺中学校」は著者の造語なので、「　」に入れ、さらに意味を説明しないと、未読の読者には伝わりません。たとえばですが、「本書は、名門校で上品なカトリック系小学校から一変して、「いじめもレイシズムも喧嘩」もあるような「元底辺中

ることはとても困難だと思います。
　そして、息子は授業でエンパシーについて学びます。「他人の感情や経験を理解する能力」のことです。未だ差別や偏見、分断が絶えないこの世の中を生きていくうえで必要な能力だと私は考えます。著者は11歳の子供がエンパシーについて学ぶことは特筆に値すると書いていますが、私もそう思います。⑫
　そして、息子は己のアイデンティティーについても考えます。⑬息子は日本人とアイルランド人のハーフです。⑭学校では「イエローモンキー」と呼ばれて差別されることがありますが、日本に帰省すると日本語が話せないことから日本人として見てもらえません。タイトルの『ぼくはイエローでホワイトで、ちょっとブルー』は息子が⑮考えた文です。イエローは日本人、ホワイトは⑯アイルランド人を指します。ブルーとは悲しみを表す単語ですが、息子は怒りと勘違いしていたと話します。このブルーとは悲しみなのか怒りなのか、どちらの意味で息子が書いたのかは最後まで分かりません。

学校」へ息子が入学したところから始まる」というような説明を入れてみてはどうか、と思いました。
⑧繰り返しになりますが、引用は一字一句変えずにそのまま引きます。
⑨「恐ろしいことだと思う」のはなぜですか？　自分の見解を入れている点はいいと思いますので、もう一歩踏み込んで書いてください。
⑩ここも括弧に入れて、「他人の立場に立ってみる」と引用する形にしましょうか。
⑪ここも「困難だ」と言って終ってしまうと、そこから先へ進めないので、もう一歩踏み込みたいですね。
⑫エンパシーを学ぶ話は、その前にある「誰かの靴を履いてみること」と同じ場面での話なので、分割せずにまとめてほしいです。また、この場面を取り上げるのはいいと思うのですが、もう少しどういう展開があったのかを、概要として加えてほしいと思います。
⑬前にもっていき、ここはトル。
⑭学校でも差別はないわけではないですが、それよりも、「荒れた地区」である家の近所で差別されることが多いのだと書かれています。
⑮→ノートの端に書きつけていた
などとするとよりいいでしょうか。
⑯→白人　の方がいいかも。

異なる人々が混ざり合って生きていく中で、他者のリアリティーや己のアイデンティティーについて考えることは非常に重要になってきます。皆さんはどうお考えになりますか？」⑰

⑰確かに重要ですが、この書評を読んだだけでは、どう考えるかと問われても、答えるのは難しいかもしれませんね。

▼最終稿は92頁をご覧ください。

POINT

書評を書くのははじめてだったと思いますが、以下の流れで再度トライしてみてください。
①導入
②概要：
・本の全体像（これは「本書は、イギリスで暮らす日本人の著者と彼女の息子（父はアイルランド人）の日常から、多様性や己のアイデンティについて考える、ノンフィクション本である」という部分でOK）
↓
・より具体的なエピソードの紹介
③本書についての感想・批評

より具体的なエピソードを、いかに紹介できるかで、本書の内容が未読の読者に伝わるか、伝わらないか変わってきます。それを受けて、福留さんが本書について、さらに多様性やアイデンティティについて、これまで感じていたことと異なる学びを得たのであれば、そのことを書いてみてください。

●書評した本
住野よる著『また、同じ夢を見ていた』
●書評した人
小松 直人（城西大学経済学部３年）

①この文章を読んでいるあなたの「幸せ」とは何だろうか？
②私は『また、同じ夢を見ていた』に人生を変えられた。これは比喩ではなく文字通りの意味である。

私が本書に出会ったのは、たまたま友達から映画に誘われ、たまたまその映画の③作者の小説を読んでみようと思い、たまたま本書を手に取った、という偶然が積み重なった結果だ。当時大学一年生だった私は④全く読書というものに触れず、小説と縁のない人生を送っていた。⑤しかし本書を読んで以来、小説の面白さや奥深さに感動し、どっぷりと小説の世界にはまっていった。この先も、私は小説と共に人生を過ごすことになると思う。おそらくあの時手に取った本が本書でなければ、今のような人生はなかっただろう。

⑥「人生」という言葉を度々使用したが、『また、同じ夢を見ていた』は「人生とは○○みたいなものよ」が口癖の小学生、奈ノ花が「幸せとは何か」を探す物語だ。奈ノ花は大人ぶっていて小生意気な性

編集部コメント

①冒頭で、見えない読者に質問を投げる人が多いのですが、それは書評というより弁論のような印象があります。カットした方がよいかな、と私は思います。

②これが一文目にくると、いい冒頭になるように感じます。書評している時点で書名は分かっているので、『また、同じ夢を見ていた』を〈本書〉に（以下同）。続く「比喩ではなく～」の一文は、気持ちは伝わりますが、蛇足のような気がしました。

③→原作者

④→読書の習慣がなく　or　本というものに触れず

⑤→どっぷりとその世界に
→あの時手に取ったのが
細かいところですが、単語が重ならないように、整えていけたらいいですね。

⑥→ここまで書くのに、「人生」という言葉を　としては？

格だが、とても真っ直ぐな女の子である。ある日、奈ノ花は国語の授業で「幸せとは何か」を考えることになる。人生経験が浅く、自分の考えに納得できない奈ノ花は、ひょんなことから出会う三人の人物にアドバイスをもらいながら、「幸せとは何か」を考えていく。

この⑦三人の人物は、皆とても魅力的で、個性溢れる人物である。腕に何本も切り傷がある、文学好きな高校生の南さん。⑧賢くて綺麗で、かっこいい女性のアバズレさん。山の一軒家に住んでいる、お菓子を焼くのが上手なおばあちゃん。

南さんの腕に何本も切り傷があることや「アバズレさん」という名前から読み取れるように、三人の人物はそれぞれ過去に「やり直したいこと」がある。三人の「やり直したいこと」とは何なのか、そのやり直したいことから奈ノ花に「幸せとは何か」についてどのようなアドバイスをするのか、そこが本書の見どころになっている。⑨

私は子供の頃、良く悪くも純粋だった。自分の気持ちに「素直」で、⑩好きなことには嬉々として積極的に取り組み、嫌いなことには嫌な顔をしながら渋々取り組んだ。しかし二十年以上の時間を過ごし、人生経験という名の混濁した出来事の積み重ねによって、自分の「素直」がどこにあるか分からなくなってしまった。そして「素直」が分からなくなったことにより、自分の本当の「幸せ」を見失ってし

⑦→トル　重なっているので。

⑧「賢くて綺麗で」の後に、〈「季節を売る」仕事をしている〉などと加えると、人物が伝わるかも。

⑨アバズレさん、南さんについては、その通りなのですが、おばあちゃんは「やり直したいこと」がある、というのは少し違うので、本の内容に即して誤解を生まないように修正する必要があります。たとえば、〈三人の人生は順風満帆というわけではない〉などとはじめて、奈ノ花とのやりとりの中で、奈ノ花だけでなく、三人も見出すものがあるということを、書くとよいのではないでしょうか。

⑩そしてこの後、小松さんご自身が本書を読んで考えたことに話が移るのですが、その前にもう少し詳細に、奈ノ花がみんなとの対話の中で、幸せについてどんなことを考えていったのか（結末は伏せるにしても）、書く必要があるのではないかと思います。小松さんが自分で見つけた答えと、本書で書かれている答えとは異なります。そこが異なることが伝わらないと、書評として誤解を生みますし、伝わらないものになってしまいます。本書のどんな文章に心ひかれたかなど、一部でいいので詳細を記すと、より本の魅

まった。

いつからか「真っ直ぐ」であることが良くないことだと気づき、「屈折」してみたが「屈折」してもどこかで躓いた。おそらく誰しもこのような経験を経て、自分の「素直」を見失いながら「大人」という曖昧模糊な存在になっていくのだろう。
⑪しかし、私はこの「真っ直ぐ」と「屈折」を繰り返す中で、「楽しさ」や「喜び」などの正属性の感情が芽生え、幸福感を感じる瞬間が幾度も訪れた。それらの共通項が自分にとって「素直」に「幸せ」なのだと、現在は考えている。

▼最終稿は102頁をご覧ください。

力が伝わることがあります。「美は細部に宿る」です。
⑪この一文の意味が分かりづらく感じました。「正属性」という言葉の意味が分からないのと、〈「真っ直ぐ」と「屈折」を繰り返す中で〉、なぜ〈幸福を感じる〉のかが分かりません。何かはしょってしまっている言葉があるのではないでしょうか。大人になっても「素直」でいられる自分とは、もう少し具体的にいうと、どういう自分でしょうか。説明がんばってみてください。

POINT

本書を読みながら、小松さんも奈ノ花といっしょに、「幸せとは何か」について考えたことが、伝わってきました。いい本の読み方ですね。

ただ、自分が考える幸せについて書いて結論とするのでは、この本を紹介するという目的の、書評の締めくくりにはなりません。本を題材に自分も考えてみた、というところまではいいと思いますので、最後にもう一度本に戻って、批評（この本のよいところ、感想）を書いてまとめとしてください。

●書評した本
岡野 大嗣著『たやすみなさい』
●書評した人
中村 怜奈(筑波大学情報学群1年)

①「たやすみなさい」は現代歌人の岡野大嗣による歌集である。いつか、どこかで、誰もが経験したことのある風景や記憶が繊細な言②葉たちで表現され、③私たちに思い出させてくれる。どこか懐かしく、けれども、もう戻ってはこないその日々に寂しさを感じずにはいられない。

この本の魅力は岡野による新鮮な言葉選びのように感じる。使ったことのない言い回しやこの本のタイトルである「たやすみなさい」も、どういう意味なのかと疑問に思った方も多いはずだ。④この本を読んだ人にだけ通じる秘密の合言葉のようで、⑤私はそんな言葉たちが大好きだ。また視覚や音で楽しませてくれる岡野の⑥短歌は、⑦私に短歌という概念を新しいものに塗り替えてくれた。声に出して読んでみるとさらに面白い。

そして、⑧ゲオやミスド、スタバといった具体性を持たせた短歌も、魅力の1つだと思う。具体性を帯びた短歌は、想像しやすく、自分

編集部コメント

①↓本書に。(書名を入れる場合は『』)

②「言葉」などの無機物には基本的には「たち」はつけません。帯文で使われているのですが、それは特別な「表現」だと思ってください。書評では正しい日本語を選択するのがいいと思います。

③たぶん「風景や記憶を思い出させてくれる」という意味にしたかったのだと思いますが、「風景や記憶が――表現され」で主述の関係はおさまっているため、読点以下は言葉足らずに感じられます。たとえば「私たちに忘れていた何かを思い出させてくれる」などと、補う必要があるのではないでしょうか。

④「たやすみなさい」は造語で、「新鮮な言葉選び」「使ったことのない言い回し」は、もともと一般に流通している言葉を、自分らしい文脈で用いたり、意外な組み合わせで使ったりすることだと思います。そのため「新鮮な言葉選びのように感じる」のあとに「たとえば…」といくつか、中村さんが新鮮だと感じる言葉選

の記憶とリンクしやすい。まるで、自分の記憶が表現され、自分の短歌のような、そんな錯覚を覚える。

　私がこの本に出会ったのは2年前のクリスマスシーズン、福岡にある本屋&カフェ「本のあるところ　ajiro」だった。きれいな装丁に目を奪われ、ただただ、⑨31語の物語に、31語で切り取られた一瞬に、その世界に、何とも言えない懐かしさを感じた。悩みや、将来の不安、自分の無力さに苦しんでいた受験期の自分に、あたたかいブランケットのようなじんわりとしたあたたかさが⑩胸に広がった。世紀の大発見をしたような胸の高鳴りと、この本を抱きしめたくなるような優しさとあたたかさを今でも忘れられない。

　私がこの本を勧めたいのは、忘れていた一瞬を、感情をそっと掬い上げてくれる優しさがあるからだ。コロナ禍で、漠然とした不安や苦しさを感じている人は多いだろう。私も時々、鬱屈とした感情に陥ってしまう。そんなときに読んでみると、自分自身をリセットしてくれる。日常が少し新鮮味をおび、⑪まるでカメラのフィルターを綺麗にしてくれるような、そんな歌集は、コロナ禍の世界を優しく見せてくれるし、世界に優しくなれる気がする。私もこの本を持って、青空の中公園で⑫本を読んでみたり、意味もなくバスにゆられてみたり、雨上がりの⑬外を歩いてみたりする。それがすごく楽しくて、

びを例示した上で、〈「たやすみなさい」は岡野による造語だが〉というように、話を繋いでいくといいのではないでしょうか。
⑤↓トル
⑥↓作品
⑤にも通じますが、同じ単語はなるべく重ねないように工夫してください。
⑦↓私の中の
⑧作中に出て来た言葉は〈「ゲオ」や「ミスド」、「スタバ」〉のように括弧に入れます。また〈といった固有名詞や通称を用い、具体性を持たせた〉などと言葉を加えるとわかりやすくなる気がします。
⑨↓31音
「語」だと単語数になってしまうので（以下同）。
⑩ブランケットなので、「くるまれた」みたいな方がいいかも。胸に広がるならば、温かい飲み物とかの方が合うかもしれませんね。
⑪」ここは「フィルター」でいいのか？「レンズ」？　喩えが、少し分かりづらかったのですが……。
⑫↓トル
⑬↓戸外
などとするとリズムがよくなります。

幸せで、大好きな時間だ。

この書評を書くにあたって、本はすぐに決まったものの、全く書けなかった。この本を読んで自分が抱いた感情を、言葉にできなかった。言葉を尽くせば尽くすほど、感情は自分のもとから離れていき、違うモノへと変わっていく感覚があった。その度に岡野の31語の世界にいった。表現する苦悩でさえも、愛しく、大切にしたいものだと思えた。

現代短歌は、誰もが経験したことがあるような瞬間を31語で表現している。この歌集を読むと、世界が優しくなるし、世界に優しくなれるだろう。

▼最終稿は106頁をご覧ください。

POINT

言葉を尽くして、この歌集への思いを綴ったことが伝わってきます。全体によかったと思います。

ただ、どの現代短歌も、その作者それぞれの「新鮮な言葉選び」があり、固有名詞を用いた具体性もなくはないと思います。それをこの作者の短歌は、ほかとはひと味違うのだ、と示すには、やはり実際の短歌をいくつか引用して（3つぐらいがいいでしょうか）、その歌の解釈をするのがいいと思います。この歌集を知らない読者にも実際の歌を目にすると、伝わるものがあると思います。

たぶんそうなると、文字数がオーバーするので、後ろの三段落を少しボリュームを落とす方向性で、原稿を仕上げてもらえたらと思います。

第3部

書評キャンパス
スピンオフ

◇読書人カレッジ@桃山学院大学　長瀬海氏による「書評の書き方」講座　抄録

二〇二二年、新たな試みとして、読書人、日本財団共催の「読書人カレッジ」を立ち上げました。「週刊読書人」では六〇年余にわたり紙面上で書籍を取り上げ、読書の価値を伝えてきましたが、今年はさらに一歩踏み出し、大学生に本を読むこと、思考することの大切さを、直接伝える読書講座をお届けしています。大学に場を借りて、作家や研究者、批評家など本に深く関わる人々に、お話をお願いするという内容です。

その一つとして今夏、桃山学院大学の学生を対象に行った「書評の書き方」講座を抄録します。講師は書評家の長瀬海氏。「書評キャンパス」に参加する学生必見です。

＊＊読書を通じて世界の見方を知る

こんにちは、長瀬海です。この授業を準備するのにこの数週間、「書評って何だろう」と考えていました。今日は現時点での僕の考えを、皆さんにお伝えしたいと思います。

はじめに僕と文学との出会いを簡単にお話しすると、高校三年生の時に不登校になったんです。学校が嫌になり、図書館や本屋に入り浸る日々をおくっていました。

そのような時期に、村上春樹の作品を読んでいたら、フランツ・カフカという名前が出てきました。図書館で探して、この著者の『変身』を読みました。これは主人公のグレゴール・ザムザが虫になってしまうという、いわゆる不条理文学です。グレゴール・ザムザは営業社員で、毎日上司からノルマ、ノルマと詰められて、嫌だな、嫌だな、会社行きたくないな、と感じていたんだと思います。そしてある朝、虫になってしまって、会社に行かなくなるんです。

それを読んだときに、「グレゴール・ザムザは俺だ」と、文学の目覚めを経験しました。

それから大学で文学を勉強しよ

長瀬海さん

うと思い、入学しました。そこで著名な批評家の先生と出会い、文学を通じて、自分とは何か、世界とは何かを考えることの大切さを知りました。

僕の先生は、批評とは「ことばでできた思考の身体」であると言いました。小説を通じて世界の見方を知る、世界の捉え方を知る、そのために本を読む。批評とは世界の見方を変える思考の言葉である。その重要性を大学に入り、文学を通じて知ったのです。

そうして批評に憧れを覚えつつも、卒業し、出版とは何の関係もない会社に就職します。営業部で働くようになるのですが、上司に毎日のように「契約取れなかったら死んでこい」と言われ、鬱気味になっていました。

そのときに読んだのが、津村記久子さんの小説でした。津村さんもパワハラを受けて働くのが苦しかった時期があり、その体験から小説を書いています。津村さんの作品を読んだときに、小説を通じて自分は一人ではない、と感じました。

この「自分は一人ではない」という感動を伝えたいと思い、書評のようなものを、どこに発表するあてもなく書いていました。その後、会社を辞めて大学院に進学し、文学研究の道を目指す傍ら、やはり書評を書き続けていました。

二〇一四年に「週刊読書人」で初めて書評を発表します。これが、僕が商業紙誌へ掲載した、初めての書評になりました。今でも覚えていますが、ある出版パーティーに潜りこんだとき、週刊読書人の編集者に会い、僕はハッタリをかましたんです。「書評家です」と名刺を渡したら、まんまと依頼をくれました(笑)。さらに二〇一九年には、「文芸時評」を担当することになりました。文芸誌を一年間、毎月たくさん読んで時評を書く。それ以降、文芸誌や週刊誌などでも書評を執筆するようになっていきます。

この講座に参加している皆さんは、書評を積極的に書いてみたいという気持ちがある方が多いと思います。書くためには、プロの書評がどういうものなのかを読んで、まずは書評というものを知るのがいいんじゃないでしょうか。いろいろな書評に目を通し、自分の好きな書評家、あるいは自分の好きな書評を見つけてください。

⁂書評家の役割とは？

さて次に、書評家とはどんな存在なのか。書評家の豊崎由美さんは『ニッポンの書評』の中で、こう言っています。

「わたしはよく小説を大八車にたとえます。小説を乗せた大八車の両輪を担うのが作家と批評家で、前で車を引っ張るのが編集者（出版社）。そして、書評家はそれを後ろから押す役目を担っていると思っているのです。

たとえ新刊を扱うにしろ、作者の過去の作品にまで敷衍し、一部のエリート読者以外には理解が難しいテクニカル・タームを駆使して、当該作品の構造を分析し、その作品が現在書かれる意味と意義を長文によって明らかにする批評は、作家にとって時に煙ったい、しかし絶対に重要な伴走者的役割にあると、わたしは考えています」

つまり、大八車に載せられている俵のようなものが小説だとすると、前で引くのが編集者、両輪が批評家と作家、書評家は後ろからその小説を後押しする、そんな存在だと言うわけです。

「書評家が果たしうる役目はといえば、これは素晴らしいと思える作品を一人でも多くの読者にわかりやすい言葉で紹介することです。つまり、作品と読者の橋渡し的存在」

これが端的に言って、書評家と言われる人の役割です。

書評家の使命として一つのゴールがあるとするならば、その書評を読んだ読者を本屋へ向かわせ、レジまで本を持って行かせることと。その力がどれだけあるかが、書評家に問われることではないかと思います。

⁂書評とは何か

ここで本題に入ります。書評とは何か。三つに絞ってお話しします。

まず、

①書評とは読書感想文ではない
②文学研究の論文とも違う
③批評とも少し異なる

ということです。

一つ目、「読書感想文」と「書評」は違う。読書感想文とは、「あの日、あの時、あの作品を読んで、こんな感動をした」という個人的な体験をあくまで個人的な言葉で書くこと。評価のポイントは感動の深さです。たとえば、戦争文学を読むことで、戦争を追体験した、その感動の深さをいかに言葉にするか。個人的な体験をあくまで個人的な言葉で書く、それが読み手に感動として伝われば、評価されます。これが小学校、中学校で書いてきた読書感想文です。

書評はそれとは違います。個人的な体験、感動を「普遍的」な言葉にする。言い換えれば、誰にでも届きうる文章で表現する。評価のポイントは、自分だけの読解によって、その作品をいかに価値付けるか。そしてその価値を伝えることで読者の心を動かすことができるかどうか。

読書感想文は個人的な体験を、あくまで個人的な言葉で書くけれど、書評や批評は自分の読書体験や感動を普遍的な、誰にでも届きうる文章で表現すること、とまず理解してください。

小林真大さんは、『感想文から文学批評へ』という本の中で、こんなことを言っています。

「作品から感動を味わうと、私たちは自然と誰かに伝えたい衝動に駆られます。（中略）しかしながら、「感動」というものは結局のところ、自分一人だけが実感しているものであり、相手に理解してもらうことがきわめて難しいものです。（中略）つまり、相手に説得力を持って感動を伝えるためには、そこに何らかの「客観性」や「論理性」が必要になってくるのです。

それでは、自分の感想に客観性を加えるためには、どうすれば良いのでしょうか？　そのために欠かせないのが、批評力です。批評力とは、物事の価値を客観的に判断する能力のことを指します」

感想文とは、あくまで個人的な言葉、客観的な裏付けのない言葉で書いたものだから、その感想文の筆者に興味がない人には、言葉は届かないということです。言葉を届かせるためには、客観性が必要だと、小林さんは言っています。

＊

二つ目に、書評は論文とも違います。研究とは専門的な知の蓄積であり、研究論文は専門知識をインプットする場、トレーニングがあってはじめて書くことができるものです。自分の論文が、過去から現在の研究史の、知の蓄積に貢献するか、あるいはそれらを突き崩しうるかを考えるのが研究論文です。同ジャンルの研究論文を一冊も読んでいない人が、論文を書けるかというと難しいと思います。たとえば文学研究で、カフカの作品を論じるとしたら、先行研究を網羅的に読んで、自分のこれから書く論文が先行研究のどこに位置するのかをしっかり考えることが必要です。

　一方、書評にはそのようなトレーニングはいりません。さっきお話しした僕の大学の先生、もう亡くなってしまいましたが、文芸評論家の加藤典洋さんはこう言いました。

「批評や書評というのは、一〇〇冊本を読んだ人と、一冊しか本を読んだことがない人、この二人が同じ土俵で同じ力で殴り合いができるもの。どちらが偉いとか関係ない」

　書評は知識量で書くのではないのです。

＊

　さらに書評は批評とも少し異なります。批評とは、ある作品をそれまで置かれてきたものとは別の文脈に位置づけ直すこと。独自の解釈を試みたり、文脈そのものを見出したりすることが必要です。

　たとえば、夏目漱石の『こころ』について、以前、ある批評家が言ったことが、センセーショナルに受け取られました。『こころ』は語り手である先生と、先生の友達の「K」が同じ女性を好きになってしまった、その三角関係をめぐる物語だと言われてきました。が、その批評家が言ったのは、「『こころ』は先生とKをめぐる同性愛の物語ではないか」ということでした。

　これが、それまでとは別の文脈に、作品を位置づけ直すということです。『こころ』をこれまでとは違う、同性愛の物語というコンテクストの中に位置づけ直すことで、自分だけの新しい価値をその作品に見出す。それが批評というものです。

　しかし書評は、そのようなベクトルだけで書く文章ではありません。書評では、その本がどんな内容なのかを、まずしっかり伝えること。これが必要条件です。その本がどんな内容かをしっかりと伝え、その作品がいかなる価値を持っていて、それを読むことが読者にとってどのような体験になりうるのかを、広く届く文章で表現する。これが書評です。もちろん先に述べたような批評の枠組みで書かれる書評もありえますが、それは十分条件の部分だと僕は思っています。

「あらすじ」は書評の必要条件

　書評は、その本がどんな内容なのかをしっかり伝えるものだと言いました。その「どんな内容なのかを伝える」という部分を担うのが、あらすじです。

本の内容を完結にまとめた「あらすじ」は書評の必要条件です。その作品を読むことの意義を伝える以上、内容がどのようなものであるかを、まず読者と共有しなければなりません。

小説を書評で取り上げるときに、あらすじをほとんど書かないという、技巧的な書評もないわけではありません。ただあらすじなしで筆者の感想だけが書かれたものは、ある意味では感想文の域を抜けないと言えるかもしれません。

書評家が十人いれば十通りのあらすじが生まれます。つまり、あらすじにも批評性が宿るのです。豊崎さんは先ほどの『ニッポンの書評』の中でこう言っています。

「粗筋紹介も〝評〟のうちだと思うようになったのです。

というのも、本の内容を正確に深く理解している書き手による粗筋紹介と、トンチンカンな解釈しかできていない書き手の粗筋紹介は「これが同じ本について書いたものなのか」というほど違うからです。（中略）

削りに削った末に残った粗筋と引用。それは立派な批評です。逆にいえば、その彫刻を経ていない粗筋紹介なぞウンコです。粗筋と引用の技にこそ書評家の力量は現れる。わたしはそう思っています」

作品を理解している人のあらすじを読むと心が動かされる。逆にトンチンカンな解釈、あるいはざっと読んでほとんど理解していないようなあらすじ紹介は、心を動かされないどころか、どんな本なのか全く伝わらない。

あらすじ紹介も批評のうちだということは、心に留めておいてください。

さらに、「読みの深さ」

書評とはシンプルに言えば、対象の本に、評者が独自の光を当てるということです。あらすじをまとめることで、物語の面白さを巧みに取り出していく。これが書評の必要条件だと言いました。

その上で、ＷＥＢメディアは別ですが、紙媒体、書評コンテストなどでも、文字制限がありますよね。制限文字数の中、あらすじを書いた上で自分なりの解釈をどれだけ深められるか。ここがよい書評になるかどうかの、岐路になります。

書くことで未読の読者の心を動かすこと、それはもちろん大事ですが、既読の読者にその本の価値を再発見してもらうきっかけを与えることも、書評の役割だと僕は思っています。

〈あらすじ〉〈物語の面白さを取り出す〉〈読みの深さ〉、この三つが備われば、個性的な書評になります。絶対になります。ぜひそのことを頭において、書評を書いてみてください。

＊＊＊質疑応答

Q　あらすじを書くときに、ネタバレについて悩みます。

A　豊崎由美さんはよく、未読の読者の興を削ぐ、あるいは未読の読者の感動を奪うネタバレは、書いてはいけないと言っていて、僕も同意します。

たとえば、自分の慕ってきた友達が実の兄だった、というような驚きの展開があるとすれば、それは作者が仕掛けた渾身の設定なので書いては駄目でしょう。自分が初めてその作品を読んだときに、驚かされたというような部分を明かしてしまえば、未読の読者の感動が失われてしまう。そこは書かない。これがネタバレの境界線だと思っています。

ですからミステリやエンターテインメントの書評は、あらすじを書く際により慎重になる必要があります。ミステリ書評家の若林踏さんは、「あらすじは全体の四分の一までしか書いてはいけないと思っている」と言っていました。ミステリやエンターテインメントは、読者をいかに驚かせるかにも作品の価値があるので、その驚きを書評が奪ってしまっては駄目、ということです。

Q　小説ではない作品のあらすじはどう書いたらいいですか。

A　ノンフィクションや評論など、小説以外を評する場合にも、基本は同じです。その作品がどのように自分の頭の中にインプットされたか、それを再解釈していく。これが評論の場合、内容紹介になっていきます。一番オーソドックスなのは、「第一部ではこう書かれていた、第二部ではこう書かれていた」と順にそって書く方法ですが、それが味気ないと思うならば、自分の注目した部分を詳細に、そして自分にとって必要ではないと思う部分は、外してしまってかまいません。「私には第二部は面白くなかった」というような批判を加えてもいいと思います。

ただその時にも、内容を説明せずに、自分が気に食わなかったところだけをピックアップしても、読者には伝わらないですよね。内容が自分の中でどのように理解されていったのかを提示する、その作業が、ノンフィクションや評論の書評では必要だと思っています。

Q　書評を書く際、作者についての説明は必要でしょうか。

A　必ずしも必要ではありません。ただ作品を紹介するのに、作者のバックグラウンドがある方がいいと思うときには、紹介すればいい。たとえば夏目漱石のような有名な文学者の紹介を、いちいちしていたらきりがないですよね。入れるとすれば、書評の対象とする作品と、作者のバックグラウンドが関係するときに、その接点を記すのがいいと思います。

Q　書評は「である」「だ」調で書きますか。

A　これは人それぞれだと思います。「ですます」で書くと柔らかい文章にうつりますし、読者にとって読みやすいことも多いと思い。ただ「ですます」で書くのは難しいんです。文章を書く上で注意していただきたいのは、同じ語尾が連続すると文章が単調になってしまうということです。「ですます」の場合、語尾をいかに整えるかが非常に重要になってきます。「ですます」で書こうと思う人は、どんなふうに文章にリズムを作るかを、充分に気を付けて書いた方がいいですね。

Q　書く前に準備していることはありますか。

A　僕はある作品を紹介する際に、過去に出た同じ著者の作品をある程度読みます。たとえば二〇作品出ていて、締切まで二週間しかない場合、他にも締切を抱えている場合は、全部を読むことは無理なので、対象作品と関連しそうなものを読む。少し前に星野智幸さんの『植物忌』の書評を書いたときには、星野さんの植物を題材にした過去作をピックアップして、網羅的に読みました。

そういう準備をすると、見取り図のようなものができ、『植物忌』という新しい作品が、星野さんの小説地図の中で、どの位置を占めるのかがわかってきます。今回取り上げた一作品が、作家の中のどういう位置にあたるものなのか、そういうことも書いていく。これがひとつの批評的見方となり、書評の精度を支えてくれるのです。

（おわり）

★ながせ・かい＝ライター・書評家・インタビュアー。「週刊金曜日」書評委員。翻訳にマイケル・エメリック「日本文学の発見」、共著に『世界のなかの〈ポスト3.11〉』（柄谷行人ほか、新曜社）。

MEMO

MEMO

おわりに

マスクとオンラインが基本設定になり、非日常だったコロナ禍が日常になった今年ですが、巣ごもり需要で、世の中の読書の機会は増えたようです。書評紙「週刊読書人」では変わらず、コツコツと、良書を取り上げ紹介し続けていました。

「書評キャンパス」の学生たちとのやりとりも変わらずです。

（学生）本を読んで、書いて、編集部に原稿を送って、

（編集部）本と書評を読んで、コメントを書いて送って、

（学生）第二稿を仕上げて、

（編集部）ゲラに組んで、新聞紙面に掲載……

うまくまとまっていない第一稿が届いたとき、「これは第二稿に仕上げるのは難しいのではないか……」と、心配しながらコメントを返します。ところが、第一稿は何だったのかと思うほど、堰を切ったように、あらすじを詳細にまとめ上げ、本書についての感想・批評の込められた、ずっしり重い第二稿が届く、ということが度々あります。

学生書評が、プロによる書評と違うのは、書き方を知らない、慣れていないこと。もう一つは選んだ本が、その学生にとって、非常に大事な一冊であ

るということです。何度も繰り返し読み返す本であったり、それが今の自分にとっての何らかの起点になっていたり、大好きな作家の作品だったり。思い入れが強い本だからこそ、うまく書けないということがあるのだと思います。そして、「書評」というものに感じる、敷居の高さや形式を、ピョンと飛び越えたとき、言葉が溢れだしてくる。そういう不器用でマジな本への思いに、日々刺激をもらっています。そして今年も、書評キャンパスを通じて、たくさんの名作を学生たちに教えてもらいました。

書籍化にあたり、今回も多くの著者や編者、訳者、担当編集者の方々に、心のこもったコメントをいただきました。「いい書評ですね」「面白い企画ですね」などと、ホッとする言葉をいただいたり、中には「表面しか読めてませんよ」というお声もあったり。そのやりとりの全てがうれしく、ありがたいものでした。また日ごろからご協力を賜っている、大学図書館、公共図書館の皆さま、いつもありがとうございます。

またここからの一年、学生たちがいい本に出合っていけますように。

「週刊読書人」編集部　角南範子

書評キャンパス at 読書人 2020

2021年11月30日　第1刷発行

著者　大学生と「週刊読書人」編集部
発行者　明石健五
発行所　株式会社 読書人
〒101-0051
東京都千代田区神田神保町1-3-5
冨山房ビル6階
Tel.03-5244-5975　Fax.03-5244-5976
https://dokushojin.com/

ブックデザイン _hitomi_

印刷・製本所　モリモト印刷株式会社

ISBN 978-4-924671-50-8